Enid

Le Club des Cinq
et les gitans

Illustrations de Jean Sidobre

HACHETTE
Jeunesse

L'ÉDITION ORIGINALE DE CET OUVRAGE
A PARU EN LANGUE ANGLAISE
CHEZ HODDER & STOUGHTON, LONDRES.
SOUS LE TITRE :

FIVE FALL INTO ADVENTURE

*Orginal English language text copyright
by Darrell Waters Limited*

© *Librairie Hachette, 1968, 1989.*

Tous droits de traduction, de reproduction
et d'adaptation réservés pour tous pays.

Hachette Livre, 43, quai de Grenelle, 75015 Paris

Chapitre 1

A la villa
des Mouettes

Claudine attendait ses trois cousins à la gare. Auprès d'elle, Dagobert, son chien, remuait la queue et manifestait une grande impatience. Il savait bien que sa maîtresse et lui allaient retrouver François, Mick et Annie, et il s'en réjouissait. La vie était toujours beaucoup plus amusante lorsque les cinq étaient réunis.

«Le train arrive, Dago!» s'écria Claude.

Personne ne l'appelait plus Claudine, car elle faisait la sourde oreille à ce nom. Elle ressemblait à un garçon avec ses cheveux courts et frisés; elle portait un short et une chemise à col ouvert. Son visage était bronzé, ses jambes et ses bras nus semblaient aussi noirs que ceux d'une gitane.

On entendit au loin le bruit du train; un petit nuage de fumée blanche apparut et monta vers le ciel. Dagobert aboya. Il n'aimait pas les trains, mais il avait de la sympathie pour celui-là.

La locomotive arriva à la gare de Kernach; bien avant que le train fût arrêté le long du quai, trois têtes s'encadrèrent dans l'une des fenêtres et trois mains s'agitèrent.

Claude répondit à ces bonjours; un large sourire s'épanouit sur son visage. La portière s'ouvrit quelques instants avant l'arrêt du train; un grand garçon en descendit, aidant une petite fille. Puis, vint un autre garçon, moins grand que le premier; il portait un sac dans chaque main. Sur son dos un troisième sac. Claude et Dago l'entourèrent.

«François, Mick, Annie, votre train a du retard, nous pensions que vous n'arriveriez jamais!

— Hello! Claude. Nous voilà enfin. Bas les pattes, Dago!

— Bonjour, Claude. Oh! Dago, tu es toujours aussi caressant.

— Ouah!» répondit Dago avec joie.

Il courait de l'un à l'autre des enfants, ne sachant comment manifester son plaisir de les voir.

«Vous n'avez pas de malle, pas de valises? demanda Claude. Seulement trois sacs?

— Nous ne venons pas pour longtemps cette fois, hélas! répondit Mick. Quinze jours seulement. Enfin, c'est mieux que rien.

— Aussi, vous n'auriez pas dû rester en Angleterre pendant six semaines, dit Claude avec une pointe de jalousie. J'imagine que vous êtes devenus à peu près Anglais, maintenant.»

Mick sourit et commença à parler dans un anglais rapide qui paraissait à Claude aussi obscur que de l'hébreu.

«Ça suffit! dit-elle en lui donnant une tape amicale. Tu es toujours aussi nigaud. Enfin je suis contente que tu sois venu. La maison est bien triste et bien solitaire sans vous tous.»

Un porteur s'approchait avec un chariot. Mick s'adressa à lui en faisant une mimique très drôle et lui parla en anglais. Le bonhomme connaissait très bien Mick et s'amusait de ses plaisanteries.

«Continue ton charabia, petit», dit-il, puis reprenant un ton sérieux : «Voulez-vous que je porte vos paquets jusqu'à la villa des Mouettes?

— Oui, je vous en prie, répondit Annie. Ça suffit, Mick, les plaisanteries les meilleures sont toujours les plus courtes.

— Oh! laisse-le! s'exclama Claude. Que je suis contente d'être avec vous!»

Elle passa un bras autour de l'épaule d'Annie et entraîna Mick de l'autre côté.

«Maman a hâte de vous voir.

— Je suppose que l'oncle Henri, lui, n'éprouve aucune impatience, commenta François tandis qu'ils marchaient tous les cinq le long du quai.

— Papa est de très bonne humeur, dit Claude. Vous savez qu'il est allé en Amérique avec maman pour faire des conférences et entendre discourir d'autres savants. Maman a dit qu'il avait été très bien accueilli.»

Le père de Claude était un brillant savant,

connu dans le monde entier. Dans l'intimité, c'était un homme d'un caractère plutôt difficile, impatient, coléreux et distrait. Les enfants l'aimaient beaucoup, mais gardaient de respectueuses distances. Ils soupiraient d'aise lorsque l'oncle Henri s'en allait pour quelques jours, car ils pouvaient alors faire autant de bruit qu'ils voulaient, monter et descendre les escaliers, jouer à toutes sortes de jeux.

« L'oncle Henri va-t-il rester à la maison ? demanda Annie que son oncle effrayait.

— Non, répondit Claude, papa et maman vont en voyage en Espagne. Nous serons tout seuls.

— Formidable ! s'écria Mick. Nous pourrons passer toute la journée en maillot de bain.

— Et Dago pourra manger avec nous ! Le pauvre, il a été bien maltraité toute cette semaine, on l'a chassé de la salle à manger car il avalait toutes les mouches qui s'approchaient de lui. Papa ne peut pas supporter de voir Dago gober une mouche.

— Pauvre chien ! dit Annie en caressant la tête frisée de Dagobert. Il pourra croquer toutes les bestioles qu'il voudra, nous ne lui dirons rien.

— Ouah ! répondit Dago avec reconnaissance.

— Hélas ! nos vacances seront si courtes que nous n'aurons pas le temps de vivre beaucoup d'aventures », murmura Mick avec regret, tandis qu'ils pénétraient dans le jardin des Mouettes.

Les coquelicots avaient fleuri dans l'herbe,

et la mer, au loin, brillait, aussi bleue que les bleuets.

« Deux semaines à peine, poursuivit Mick, et il nous faudra retourner en classe. Enfin, j'espère qu'il fera beau! Je veux me baigner six fois par jour. »

Un moment plus tard, ils se retrouvèrent tous assis autour de la table de la salle à manger. Tante Cécile avait préparé un très bon goûter, elle était enchantée de revoir ses neveux et sa nièce.

« Maintenant Claude va être contente, dit-elle en leur souriant. Elle était toute triste, la semaine dernière. Veux-tu un autre croissant, Mick? Prends-en deux tout de suite, tu as l'air d'avoir faim.

— Merci, dit Mick, c'est délicieux. Où est l'oncle Henri?

— Dans son bureau, répondit la tante. J'irai le chercher dans une minute. J'ai l'impression qu'il ne mangerait pas de toute la journée, si je n'allais pas le chercher, et si je ne le tirais pas de force jusqu'à la salle à manger.

— Le voici! » s'écria François en entendant les pas rapides de son oncle.

Soudain la porte s'ouvrit. L'oncle Henri apparut; il tenait un journal à la main et semblait très absorbé. Il ne vit même pas les enfants.

« Regarde, Cécile, cria-t-il, regarde ce que les journalistes ont osé imprimer! J'avais pourtant donné l'ordre qu'on ne publie pas cela. Les bandits! Les imbéciles! Les....

— Henri! s'écria sa femme. Que t'arrive-t-il? Regarde, les enfants sont là. »

Mais l'oncle Henri ne vit pas les enfants, tant il était préoccupé par l'article du journal.

« La maison sera envahie par des reporters qui voudront me voir et connaître tous mes projets! dit-il en élevant la voix. Ecoute un peu ce qu'ils osent écrire, sans la moindre discrétion : " Le fameux savant poursuit ses expériences chez lui, à la villa des Mouettes; c'est là que se trouvent tous ses dossiers, tous ses carnets de notes et les plans de ses prochains livres. Deux nouveaux cahiers, écrits en Amérique, ainsi que d'étonnants schémas sont rangés dans son bureau personnel à Kernach. " Je te dis, Cécile, que nous aurons une horde de journalistes ici!

— Mais non, mon cher Henri, ne t'inquiète pas! De toute façon nous partons pour l'Espagne. Assieds-toi et prends un peu de thé. Tu n'as pas encore souhaité la bienvenue à François, Mick et Annie. »

L'oncle Henri s'assit en grognant.

« Je ne savais pas qu'ils venaient, dit-il en prenant une biscotte beurrée. Tu aurais pu me le dire, Cécile.

— Je te l'ai dit trois fois hier et deux fois ce matin! » répondit sa femme.

Annie serra doucement la main de son oncle qui était assis près d'elle.

« Tu es toujours le même, oncle Henri. Tu ne te souviens jamais que nous allons arriver; veux-tu que nous repartions tout de suite? »

Son oncle la regarda et lui sourit. Sa mauvaise humeur ne durait jamais longtemps. Il dit bonjour aussi à François et à Mick.

« Vous voilà de nouveau ici, dit-il. Allez-vous

être capables de garder le manoir pendant que je serai en voyage avec votre tante?

— Bien sûr! s'exclamèrent les trois enfants.

— Personne n'osera approcher, dit François. Dagobert nous aidera. Je mettrai une pancarte : "Attention, chien méchant".

— Ouah, ouah!» approuva Dago, qui paraissait enchanté.

Soudain, une mouche tourna autour de lui; il la happa. L'oncle Henri sursauta.

«Veux-tu une autre tartine, papa? demanda aussitôt Claude. Quand partez-vous pour l'Espagne, maman et toi?

— Demain, répondit tante Cécile avec fermeté. Ne prends pas cet air, je t'en prie, Henri, tu sais parfaitement que tout est arrangé depuis des semaines! D'ailleurs, tu as besoin de vacances!

— Tu aurais pu m'avertir que le départ était fixé à demain! dit son mari d'un air indigné. J'ai encore des tas de choses à faire.

— Henri, je t'ai dit des dizaines de fois que nous prenions l'avion le 3 septembre. Moi aussi, j'ai besoin de vacances, ajouta-t-elle d'un ton décidé. Les quatre enfants seront très bien ici avec le chien. Ils aiment beaucoup leur indépendance. François est grand maintenant et peut prendre la responsabilité des autres.»

Dagobert goba encore une mouche et l'oncle Henri bondit de sa chaise.

«Si ce chien recommence...!»

Sa femme l'interrompit aussitôt.

«Tu vois, tu es horriblement nerveux, mon ami! Cela te fera du bien de partir. Alors, souviens-toi que nous quittons la maison demain.

Je ne m'inquiète pas pour les enfants, il ne peut rien leur arriver. »

Tante Cécile se trompait, bien sûr. Tout pouvait arriver lorsque le Club des Cinq était livré à sa fantaisie !

Chapitre 2

Une rencontre
sur la plage

Il fut très difficile de décider l'oncle Henri à partir le lendemain. Le savant demeura enfermé dans son bureau jusqu'au dernier moment. Le taxi arriva et s'arrêta devant la grille du jardin. Tante Cécile, prête depuis longtemps, courut frapper à la porte du bureau.

« Henri ! Ouvre la porte et viens ! Nous allons rater l'avion si tu ne te dépêches pas !

— Une minute », répondit son mari.

Tante Cécile regarda les enfants d'un air désespéré.

« C'est la quatrième fois qu'on l'appelle, et

13

c'est la quatrième fois qu'il répond : "Une minute"!», s'écria Claude.

A cet instant le téléphone sonna et la petite fille prit l'appareil.

«Oui... répondit-elle. Non, c'est impossible... Il est parti en Espagne, pour une semaine ou deux, probablement... Attendez, je vais demander à ma mère.

— Qui est-ce? interrogea tante Cécile.

— C'est *Le Journal du matin*. Ils veulent envoyer un reporter pour interviewer papa! Je leur ai dit qu'il était parti en Espagne, ils demandent s'ils peuvent publier cette nouvelle.

— Bien sûr, répondit tante Cécile, pleine de reconnaissance pour sa fille. Lorsqu'ils auront annoncé ce départ, personne ne téléphonera plus.»

Claude donna donc l'autorisation au journaliste. Le chauffeur de taxi s'impatientait et klaxonnait devant la porte. Dago aboya furieusement. L'oncle Henri, en proie à une violente colère, apparut sur le seuil de son bureau.

«Je ne pourrai donc jamais avoir la paix lorsque je travaille?»

Mais sa femme alla le prendre par la main, lui donna son chapeau, et l'entraîna.

«Tu ne travailles plus, tu es en vacances!» déclara-t-elle.

Elle s'aperçut alors qu'il tenait un porte-documents sous le bras.

«Oh! Henri, tu es épouvantable! Tu emportes du travail en voyage?»

A cet instant, le téléphone sonna de nouveau.

« Encore un reporter qui désire t'interviewer, papa! Tu ferais bien de te dépêcher!»
s'écria Claude.

La crainte de rencontrer les journalistes
décida l'oncle Henri à s'en aller au plus vite.
Quelques secondes après, il était assis dans le
taxi, serrant toujours contre lui son porte-
documents. Il dit avec véhémence au chauffeur
ce qu'il pensait des gens qui troublaient le travail des savants.

« Au revoir, mes chéris, dit tante Cécile,
soyez sages et amusez-vous bien. »

Le taxi disparut au loin.

« Pauvre maman! dit Claude. C'est toujours
comme ça lorsqu'elle part en vacances. Il y a
une chose certaine, c'est que moi je n'épouse-
rai jamais un savant. »

Ils poussèrent un soupir de soulagement à
la pensée que l'oncle Henri était parti. Durant
les périodes de travail intensif, il avait
vraiment un caractère impossible.

« Il est tellement formidable! dit François.
En classe, notre professeur parle de lui avec
admiration, mais ce qui me sourit beaucoup
moins, c'est qu'il voudrait que je sois très brillant, sous prétexte que j'ai un oncle remar-
quable!

— Oui, c'est très gênant d'avoir des gens
trop intelligents dans sa famille, dit Mick.
Nous voici seuls avec Maria, cette chère vieille
Maria. J'espère qu'elle nous donnera des repas
froids quand nous irons en excursion.

— Elle fait très bien la cuisine, dit Claude.
Allons voir s'il y a quelque chose à manger
maintenant, j'ai faim!

— Moi aussi», dit Mick.

Ils coururent vers la cuisine.

«Inutile de m'expliquer pourquoi vous venez, dit la cuisinière en souriant. Mais je vous avertis que le placard à provisions est fermé à clef!

— Oh! Maria! pourquoi avez-vous fait ça? s'exclama Mick en essayant d'ouvrir la porte qui, hélas! était bien fermée...

— Parce que c'est la seule chose à faire lorsque vous êtes tous là, sans compter que le chien est toujours affamé, lui aussi! dit Maria qui pétrissait une pâte à tarte avec vigueur. Aux dernières vacances, j'avais laissé un pâté en croûte, un demi-poulet, une tarte aux fraises et des fruits pour le repas du lendemain. Lorsque je suis revenue de mon après-midi de congé, il ne restait absolument plus rien!

— Eh bien! nous pensions que vous aviez préparé cela pour notre dîner, dit François.

— Vous n'aurez plus l'occasion de penser cela, conclut Maria avec fermeté, la porte sera fermée à clef; je vous donnerai ce qu'il vous faudra. Vous ne prendrez rien tout seuls.»

Les quatre enfants sortirent de la cuisine, un peu déçus; Dagobert marchait sur leurs talons.

«Allons nous baigner, s'écria Mick. Si je veux prendre six bains par jour, il serait temps que je commence.

— Je vais chercher les bouées pour nager, dit Annie; nous allons bien nous amuser; j'espère que nous retrouverons, comme toujours, le marchand de glaces sur la plage.»

Quelques instants plus tard, ils étaient tous

sur la grève en maillot de bain. Ils découvrirent un endroit agréable et commencèrent à creuser des trous confortables dans le sable pour s'y asseoir ; le chien les imita.

« Je ne vois pas pourquoi tu fais un trou, Dago. Tu finis toujours par te coucher dans le mien ! » dit Claude.

Mais Dagobert travaillait si bien avec ses pattes, qu'il envoya du sable dans la figure d'Annie. Elle s'essuya la bouche.

« Ça suffit, Dago ! Tu m'ennuies ! »

Dagobert vint lui prodiguer des caresses, puis creusa encore. Quand son trou fut achevé, il s'y étendit confortablement. Il avait l'air de sourire !

« Il sourit encore ! s'écria Annie. Je n'ai jamais vu un chien sourire comme Dago ! Je suis très contente d'être avec toi, Dago !

— Ouah ! » répondit le chien poliment. Il voulait dire qu'il se réjouissait lui aussi de retrouver Annie et les autres.

Claude ouvrit une boîte de biscuits, et les enfants y firent honneur.

« Nous nous baignerons plus tard », dit Mick.

A cet instant, leur attention fut attirée par

des gens qui marchaient le long de la plage. Mick les regarda entre ses paupières mi-closes. Un homme et un jeune garçon s'approchaient. Le gamin, qui avait l'air d'un gitan, portait des culottes courtes assez sales et un pull-over, il allait pieds nus. L'homme avait une drôle d'allure. Il boitait. Une moustache broussailleuse cachait sa bouche. Il observait, de ses petits yeux intelligents, l'étendue de sable, tout autour de lui. Il paraissait chercher quelque chose que la marée avait peut-être emporté. Le jeune gitan serrait une vieille boîte, un soulier mouillé et un morceau de bois sous son bras.

«J'espère qu'ils ne vont pas trop s'approcher de nous», dit Mick à François.

L'homme et l'enfant arpentaient la plage et, bientôt, vinrent s'asseoir non loin de Claude et de ses cousins. Dagobert grogna.

«Allons nous baigner, dit François, que la présence des deux étrangers ennuyait. Pourquoi viennent-ils juste s'asseoir là, alors que la grève est déserte?»

Les cousins nagèrent vigoureusement dans les vagues. Lorsqu'ils revinrent, ils virent le jeune garçon, demeuré seul, qui avait poussé l'audace jusqu'à s'asseoir dans le trou de Claude!

«Va-t'en, dit celle-ci qui avait hérité de son père un caractère violent. Ce trou est à moi!

— Qui va à la chasse perd sa place!» répondit le petit garçon d'une voix chantante.

Claude se pencha et poussa vigoureusement le gosse, mais celui-ci se défendit. Mick arriva en courant.

«Claude, laisse-moi faire.»

Et il attaqua le garçon.

«C'est clair. Nous ne voulons pas de toi ici! Compris?»

Le garçon donna un bon coup de poing dans la mâchoire de Mick. Celui-ci riposta immédiatement et lui envoya un direct au menton.

«Lâche! hurla le petit inconnu. Frapper un plus petit que toi. Je me battrai avec l'autre garçon, mais pas avec toi.

— Ce n'est pas un garçon, c'est une fille! répliqua Mick. On ne se bat pas avec les filles.

— Tais-toi, répondit le gitan en serrant les poings, et tiens-toi bien; je suis une fille, moi aussi; donc je peux me battre avec elle, non?»

Claude serrait les poings. Les deux fillettes avaient l'air si étonné que François éclata de rire.

«Il est interdit de se battre, dit-il, et toi, file!»

La petite inconnue le regarda, puis elle éclata en sanglots et s'en alla en courant.

«C'est bien une fille, en effet, dit Mick. C'est la dernière fois que nous la voyons, je pense!»

Mais il se trompait, ce n'était pas la dernière fois.

Chapitre 3

Un visage
à la fenêtre

Les Cinq retournèrent
se coucher dans le sable.
Mick avait mal à la mâchoire.

« Cette sale gosse m'a donné un sérieux coup
de poing ! s'exclama-t-il avec un brin d'admiration. Un vrai démon !

— Je ne vois pas pourquoi François ne m'a
pas laissée me battre avec elle, dit Claude hargneuse. C'est moi qu'elle ennuyait.

— Les filles ne doivent pas se bagarrer !
approuva Mick. Ne sois pas sotte, Claude, je
sais que tu es aussi courageuse qu'un garçon,
tu t'habilles comme un garçon, tu grimpes aux
arbres aussi bien que moi, mais tu ne raisonnes
pas encore comme un homme. »

Cette sorte de sermon ne plaisait guère
à Claude.

« Je suis désolé, ajouta Mick, de l'avoir

rabrouée comme ça ; c'est la première fois que je boxais avec une fille, j'espère que ce sera la dernière !

— Et moi, je suis joliment contente que tu l'aies frappée ! Si je la revois, je lui dirai ce que je pense d'elle : c'est une petite vipère !

— Tu ne lui diras rien du tout, répondit Mick, je ne le permettrai pas, elle a été assez punie d'être renvoyée ainsi.

— Avez-vous fini de vous disputer, tous les deux ? intervint Annie en leur jetant une poignée de sable. Claude, je t'en prie, ne sois pas de mauvaise humeur, nous n'avons que quinze jours de vacances, inutile d'en gâcher un !

— Voilà le marchand de glaces ! s'écria François, cherchant son argent dans le sac de plage. Nous allons acheter un esquimau pour chacun !

— Ouah ! approuva Dago.

— Bon, d'accord, tu en auras aussi ! dit Mick, bien que je ne sache pas si c'est très raisonnable ! Tu vas l'avaler en une bouchée comme si c'était une mouche ! »

En effet, Dago dévora sa glace très vite et alla quémander auprès de sa maîtresse : mais celle-ci le repoussa.

« Non, mon petit chien ! C'est très mauvais pour toi ! Va-t'en plus loin, tu me donnes chaud ! »

Dagobert obéit et se réfugia auprès d'Annie ; elle lui donna un petit morceau de son esquimau. Puis elle le repoussa à son tour.

« Va voir François, maintenant ! » Elle soupirait d'aise. « Quelle matinée délicieuse ! »

Tous les cinq, d'humeur paresseuse, se reposèrent un peu, mais comme ils n'avaient pas de montre, ils rentrèrent beaucoup trop tôt pour le déjeuner et Maria les houspilla :

«Vous arrivez à midi moins dix, comme si vous mouriez de faim! Je n'ai même pas fini mon ménage! Vous savez bien qu'on mange toujours à une heure!

— Oh! j'avais l'impression qu'il était une heure», dit Annie, déçue d'avoir encore si longtemps à attendre.

Enfin vint l'heure de se mettre à table.

«Voilà le menu : salade de tomates et de concombres, biftecks frites, camembert et flan! annonça Annie.

— C'est exactement ce qui nous convient, conclut Mick en s'asseyant. Il n'y a pas de tarte?

— Dans le garde-manger, probablement. Maria doit la garder pour le goûter ou le dîner, répondit Annie.

— Viens chercher ta pâtée, Dabogert!» cria la cuisinière; le chien s'en alla en trottinant vers la cuisine. Il connaissait très bien le mot «pâtée».

«Maria aime beaucoup Dago, dit Mick.

— Et Dago le lui rend bien. Elle grogne beaucoup, mais elle est très bonne, au fond.»

Les enfants mangèrent en silence. Ils se souvenaient de leurs aventures passées au manoir de Kernach. Dago revint au bout d'un moment, se pourléchant les babines.

«Il n'y a rien à manger, ici, dit Mick en lui montrant les plats vides sur la table. Ne me dis pas que tu as déjà englouti toute ta pâtée!»

Dago se coucha sous la table, la truffe posée

sur ses pattes de devant. Il était satisfait de son succulent déjeuner et de ce repos auprès des enfants qu'il aimait beaucoup. Après le déjeuner, ils allèrent tous s'étendre sur la plage, jusqu'à ce que revînt l'heure de prendre un bain. Tous appréciaient cette journée de vacances chaude et heureuse. Claude s'attendait à revoir la petite gitane, mais elle ne vint pas. Elle s'en attrista, car elle aurait aimé échanger avec elle, à défaut de coups, quelques paroles bien senties!

Quand les cousins allèrent se coucher ce soir-là, ils ressentaient une grande fatigue... François paraissait si las au moment du dessert, que Maria lui offrit de fermer les volets et les portes à sa place.

«Non, merci, Maria, répondit François, c'est un travail d'homme. Laissez-moi faire, je verrouillerai toutes les portes et je fermerai soigneusement toutes les fenêtres.

— Bien, monsieur François», dit Maria. Et elle s'en alla ranger sa cuisine.

Les enfants montèrent dans leur chambre, à l'exception de François.

Il connaissait bien ses responsabilités; Maria savait qu'il ferait consciencieusement son travail. Elle l'entendit essayer de fermer la petite fenêtre de l'office et elle l'appela :

«Monsieur François! Elle ne ferme pas bien, mais ne vous faites pas de souci, elle est trop petite pour que quelqu'un puisse passer par là.

— Très bien», dit François.

Et il monta se coucher. Il bâillait si fort que Mick ne put s'empêcher de l'imiter. Dans la chambre voisine, les filles éclatèrent de rire en les entendant.

«Vous allez dormir comme des loirs tous les deux. Vous ne risquerez pas d'entendre les voleurs cette nuit!

— Le vieux Dago se chargera des voleurs, ce n'est pas mon travail. N'est-ce pas, Dago?

— Grrr!» répondit Dago en bondissant sur le lit de Claude.

Il dormait toujours roulé en boule contre ses genoux. Tante Cécile avait essayé d'empêcher Claude de garder le chien sur son lit pendant la nuit, mais Claude répliquait toujours : «Dagobert ne voudrait jamais dormir ailleurs.»

Cinq minutes plus tard, tout le monde dormait, y compris Dago que sa maîtresse avait gentiment caressé. Il aimait Claude plus que personne au monde.

Dehors, la nuit était très noire, d'épais nuages cachaient les étoiles. On entendait les gémissements du vent dans les arbres et la rumeur lointaine de la mer. Aucun autre bruit, pas même le ululement de la chouette.

Pourquoi alors Dago s'éveilla-t-il? Pourquoi ouvrit-il un œil, puis l'autre? Pourquoi pointa-t-il ses oreilles et écouta-t-il? Il ne leva pas la tête; couché, il demeurait attentif...

Enfin, il se glissa à bas du lit. Aussi silencieusement qu'un chat, il traversa la chambre, la porte étant demeurée entrouverte, et il sortit, puis descendit les escaliers, et arriva dans le hall ; ses griffes faisaient un petit bruit

sur le carrelage, mais personne ne pouvait l'entendre; la maison était endormie.

Dagobert demeura longtemps à guetter; il savait qu'il avait entendu quelque chose, un rat peut-être... Il renifla.

Soudain, il se raidit. Quelqu'un, il en était sûr, grimpait le long du mur de la maison. Un rat oserait-il faire cela? Là-haut, dans son lit, Annie s'éveilla tout à coup. Elle mourait de soif et décida d'aller chercher un verre d'eau. Elle alluma sa lampe électrique.

La lampe éclaira d'abord la fenêtre et Annie

eut une émotion terrible : elle poussa un hurlement. Claude s'éveilla immédiatement. Dagobert bondit dans la chambre :

«François, cria Annie, viens vite, j'ai vu un visage à la fenêtre, un horrible visage qui me regardait.»

Claude courut vers la fenêtre en brandissant sa lampe; il n'y avait rien. Dagobert reniflait par la fenêtre ouverte et grognait.

«J'entends quelqu'un courir dans l'allée, dit François qui accourait avec Mick. Viens vite, Dago.»

Ils descendirent tous, même Annie; ils ouvrirent la porte, le chien s'élança dans l'obscurité en aboyant férocement. Un visage à la fenêtre? Il trouverait bien l'audacieux malfaiteur qui avait osé grimper le long du mur.

Chapitre 4

Le jour suivant

Les quatre enfants demeurèrent sur le seuil. Ils écoutaient les aboiements excités de Dago. Annie tremblait ; François passa son bras autour de ses épaules, en signe de protection.

« A quoi ressemblait ce visage ? lui demanda-t-il.

— Je ne l'ai pas beaucoup vu, répondit-elle en frissonnant. Il est apparu un instant dans l'éclat de ma lampe. J'ai eu très peur.

— Pourquoi ne l'as-tu vu qu'un instant ? demanda François.

— Parce que j'avais si peur que j'ai lâché ma lampe, et elle s'est éteinte ! Claude s'est éveillée et s'est précipitée vers la fenêtre.

— Où était donc Dagobert ? interrogea Mick, surpris de ne pas avoir été réveillé par les aboiements du chien qui avait sûrement entendu l'inconnu grimper jusqu'à la fenêtre.

— Je ne sais pas, répondit Annie, il est entré dans la chambre dès que j'ai crié.

— Cela ne fait rien, Annie, dit François, il s'agissait probablement d'un vagabond... En voyant toutes les portes et les fenêtres du bas fermées, il a eu l'idée de grimper le long du lierre. Dago le rattrapera sûrement dans le jardin.»

Mais Dago revint bredouille.

«Tu ne l'as pas trouvé, Dago?» demanda Claude avec anxiété.

Dago soupira tristement, la queue basse.

Claude voulut le réconforter et s'aperçut qu'il était tout mouillé.

«Où as-tu bien pu aller pour être mouillé comme ça?» dit-elle étonnée.

Mick le toucha, les autres en firent autant.

«Il est allé jusqu'à la mer, dit François. J'imagine que le vagabond courait vers la plage; comme Dagobert le poursuivait, il a sauté dans un bateau, c'était son seul salut.

— Et Dago a dû essayer de le rattraper à la nage. Pauvre vieux Dago! Et tu l'as perdu, n'est-ce pas?»

Le chien remuait un petit peu la queue, il semblait vraiment découragé. Il avait bien entendu du bruit, mais il avait cru tout d'abord que c'était un rat! Maintenant il regrettait sa négligence.

François referma la porte et la verrouilla.

«Je ne pense pas que le "visage" apparaisse à la fenêtre avant longtemps, dit-il. La présence d'un chien fait peur aux voleurs.»

Ils allèrent tous se recoucher. François fut incapable de s'endormir tout de suite. Bien qu'il eût dit aux autres de ne pas s'inquiéter, il demeurait anxieux. L'idée qu'un homme pouvait grimper le long du lierre jusqu'à la chambre à coucher des filles le tourmentait ; mais que faire ?

Maria, la cuisinière, dormait, inconsciente du danger. François ne voulait pas la réveiller.

« Non, pensa-t-il, il ne faut rien lui dire, elle serait capable d'envoyer des télégrammes à oncle Henri. »

Le lendemain matin, Maria préparait le café dans la cuisine ; elle n'avait rien entendu.

Annie eut honte d'elle-même, lorsqu'elle s'éveilla. Le « visage » s'était déjà effacé dans son souvenir ; elle en vint à se demander si elle n'avait pas tout simplement rêvé. Elle demanda à François :

« N'ai-je pas fait un cauchemar ?

— Probablement, répondit François, heureux à l'idée qu'Annie ne s'inquiéterait plus. Si j'étais toi, poursuivit-il, je n'y penserais plus. »

Il ne dit pas à sa sœur qu'il avait examiné le lierre du mur et qu'il y avait trouvé des traces prouvant que quelqu'un s'était hissé jusqu'à la fenêtre. Il appela son frère.

«Quelqu'un est venu, dit-il. Regarde : des branches cassées, des feuilles par terre. Ce vagabond grimpait comme un chat!»

Aucune trace de pas dans le jardin. François ne s'attendait d'ailleurs pas à en trouver, car le sol était très sec et très dur.

La journée s'annonçait fort belle et il faisait déjà chaud.

«Allons à la plage nous baigner, suggéra Claude. Demandons à Maria de nous donner un pique-nique.»

Aussitôt les deux filles allèrent à la cuisine aider Maria à préparer le panier du repas.

«Et voici une bouteille de cidre. Eh bien, mes enfants, ajouta-t-elle, vous avez un copieux déjeuner, ce n'est pas la peine que je vous prépare à dîner pour ce soir!»

Claude et Annie se regardèrent avec frayeur. Pas de dîner? Mais elles surprirent le regard amusé de la cuisinière. Celle-ci plaisantait.

«Nous allons faire nos lits et ranger nos chambres avant de partir», dit Annie et, pleine de gentillesse, elle ajouta : «Avez-vous besoin de quelque chose au village, Maria?

— Non, pas aujourd'hui. Dépêchez-vous d'aller à la plage. Je serai ravie d'être tranquille toute la journée, j'ai des nettoyages à faire.»

Annie semblait avoir oublié les frayeurs de la nuit passée. Elle bavardait et riait avec les autres sur le chemin de la plage; d'ailleurs, même si elle avait eu des idées noires, un nouvel événement l'en aurait détournée. La petite gitane était de nouveau sur la plage. Seule, cette fois-ci.

Claude la vit la première et fronça les sourcils. François surprit la grimace de sa cousine...

«Nous allons rester près des rochers aujourd'hui, dit-il aux autres, il fait si chaud que nous serons contents d'avoir de l'ombre. Installons-nous là.

— D'accord, répondit Claude, mi-furieuse, mi-contente de l'autorité de son cousin. Ne t'inquiète pas, je ne me disputerai pas avec cette horrible gosse.

— Je suis content de tes bonnes dispositions!» répondit François.

Ils s'installèrent derrière de grands rochers: la gitane ne pouvait pas les voir.

«Si nous lisions un peu avant d'aller nager? dit Mick. J'ai apporté un livre d'aventures et il faut absolument que je découvre le bandit... C'est une histoire passionnante!»

Il s'allongea confortablement. Annie alla chercher des anémones de mer, tandis que Claude se couchait à plat ventre et jouait avec Dago. François commença à explorer les rochers. Tout était paisible. Soudain quelque chose tomba tout près de Claude et la fit sursauter. Dago s'assit.

«Qu'est-ce que c'est? demanda Claude. Qu'est-ce que tu m'as envoyé, Mick?

— Moi? s'exclama Mick. Rien du tout!»

Il était plongé dans sa lecture. A nouveau Claude tressaillit.

«Qui est-ce qui me jette des cailloux?»

Elle regarda tout autour d'elle.

«Oh! dit-elle, c'est un noyau de prunelle!

— J'aimerais pouvoir te dessiner, Claude, dit François. Je n'ai jamais vu une telle grimace! Oh!»

Le «oh!» n'avait rien à voir avec la grimace de Claude. François venait de recevoir un autre noyau de prunelle juste derrière l'oreille. Il entendit quelqu'un rire. Claude se leva et contourna les rochers.

La petite gitane se cachait derrière. Ses poches étaient pleines de prunelles, quelques-unes avaient roulé dans les pierres, à ses pieds. Lorsqu'elle vit Claude, elle s'arrêta de rire.

«Tu as fini de nous bombarder de noyaux?

— Je ne vous bombardais pas, répondit la fille.

— Ne mens pas! Je *sais* que c'est toi!

— Je les crachais simplement. Regarde.»

Elle mit une prunelle dans sa bouche et quelques instants après, elle cracha le noyau qui vint frapper Claude juste sur le nez! Celle-ci eut l'air tellement surprise que Mick et François ne purent s'empêcher de rire.

«Je parie que je peux cracher les noyaux bien plus loin que vous tous! dit la gitane. Tenez, prenez des prunelles et essayez.

— D'accord, répondit Mick. Si tu gagnes, je t'achèterai une glace. Sinon tu n'auras plus qu'à filer et ne plus jamais t'approcher de nous.

— Bien, dit la gitane dont les yeux brillaient. Mais je gagnerai sûrement!»

Chapitre 5

Jo, la gitane

Claude et Mick étaient très surpris de voir quelqu'un d'aussi habile.

«Parfait! dit François à Claude. Tu sais que Mick est très fort dans ce genre de jeu, il gagnera et nous enverrons la petite fille au diable!

— Tu es dégoûtant, Mick! s'écria Claude.

— Qui donc avait l'habitude de cracher des noyaux de cerises et de vouloir me battre à ce jeu l'année dernière? demanda Mick. Ne prends pas l'air dégoûté, maintenant, Claude, ça te va mal!»

Annie sortit lentement de l'eau; elle se demanda pourquoi les autres étaient grimpés sur les rochers. Des projectiles commencèrent à pleuvoir autour d'elle. Elle s'arrêta sur place, étonnée. Les auteurs de ce méfait n'étaient sûrement pas ses frères et sa cousine. Un noyau frappa son bras nu.

La petite gitane gagnait. Elle riait, laissant voir des dents éblouissantes.

«Vous me devez une glace!» dit-elle d'une voix chantante.

François se demanda si elle était Française. Mick la regardait avec une certaine admiration.

«Je te la paierai, ta glace, n'aie pas peur, dit-il. Personne ne m'avait encore battu à ce jeu, même pas Stève, un garçon de l'école qui a une bouche énorme!

— Je te trouve épouvantable, dit Annie. C'est un jeu ignoble. Va lui acheter sa glace et renvoie-la.

— Je vais la manger ici!» décida la petite fille.

Elle prit l'air aussi obstiné que Claude lorsqu'elle voulait obtenir quelque chose de difficile.

«Tiens, tu ressembles à Claude!» dit Mick qui regretta aussitôt ce propos, car Claude le regarda avec colère.

«Quoi? Cette horrible fille mal peignée et sale me ressemble? rugit-elle. Pouah, je ne peux même pas supporter d'être près d'elle.

— Pourquoi?» demanda Mick.

La petite fille paraissait surprise.

«Que dit-elle? demanda-t-elle à Mick. Que

je suis sale? Tu es dégoûtant, aussi, toi! Tu craches!

— Voilà le marchand de glaces», s'écria François, pour changer le sujet de la conversation.

Il appela l'homme qui apporta six glaces.

«Voilà pour toi, dit François offrant un chocolat glacé à la fille. Mange ça et va-t-en.»

Ils s'assirent tous dans le sable et sucèrent leur glace. Claude boudait toujours. Dagobert lui mendia un peu de glace; aussitôt, la petite gitane l'appela.

«Tiens, chien, prends un peu de la mienne!»

Au grand désagrément de Claude, Dagobert lécha la crème glacée que l'inconnue lui tendait. Comment pouvait-il accepter quoi que ce fût d'une fille pareille!

Mick ne pouvait pas s'empêcher de s'amuser en regardant la petite noiraude aux gestes brusques, aux cheveux sombres, aux yeux brillants. Soudain il réalisa que la petite fille avait un gros bleu sous le menton. Il éprouva un malaise. Il lui demanda:

«C'est moi qui t'ai fait ce bleu hier?

— Quel bleu? Ah! celui-là! dit la petite fille en le touchant. Oui, c'est toi quand tu m'as frappée, mais cela n'a pas d'importance, j'en ai de bien plus gros. Mon père me donne des coups!

— Je suis désolé de t'avoir battue, ajouta Mick, je croyais vraiment que tu étais un garçon. Comment t'appelles-tu?

— Jo, répondit la petite fille.

— Ça pourrait être aussi bien un nom de garçon! répliqua Mick.

— Je m'appelle Jo et je suis une fille, répéta la gitane.

— C'est amusant, ajouta Annie, je trouve que Jo te ressemble vraiment, Claude! Elle a les mêmes cheveux courts et bouclés, le même nez futé!

— La même façon de lever son menton, le même regard, le même rire...», continua Mick.

Claude regardait son cousin d'un air furieux. Elle n'aimait pas du tout ces comparaisons.

«J'espère que je n'ai pas la couche de saleté qu'elle a sur le corps et sur les mains!» bougonna-t-elle.

Mick l'arrêta.

«Elle ne possède sans doute ni savon, ni brosse à cheveux; elle est pauvre. Une fois lavée, elle serait très jolie. Ne sois pas méchante, Claude.»

Claude tourna le dos. Comment Mick pouvait-il défendre cette horrible gitane? Ne partirait-elle donc jamais? Allait-elle rester avec eux toute la journée?

«Je m'en irai quand cela me plaira!» décida Jo.

Elle dit ces mots exactement comme Claude, d'une façon si péremptoire que François et Mick éclatèrent de rire. Jo rit aussi. Claude serrait les poings. Annie la regarda comme pour la supplier de ne pas se battre.

«J'aime ce chien», murmura Jo. Elle s'assit près de lui, juste derrière Claude, et le caressa de sa petite main noiraude. Claude se retourna :

«Ne touche pas à mon chien, ordonna-t-elle, il ne t'aime pas!

— Si, il m'aime, dit Jo d'un air surpris. Tous les chats et tous les chiens m'aiment. Je peux apprivoiser le tien très facilement.

— Essaie! dit Claude. Il ne s'approchera pas de toi, il ne t'obéira pas; n'est-ce pas, Dago?»

Jo ne fit pas un geste, mais elle commença à émettre un petit bruit de gorge qui ressemblait à la plainte d'un chien perdu. Dago dressa les oreilles. Il regardait la gitane avec curiosité. Jo lui tendit la main. Dago ne s'approcha pas, mais lorsqu'il entendit de nouveau le bruit, il regarda attentivement la gitane. Quelle sorte de «petite fille-chien» était-ce? Jo cacha sa figure dans ses mains et imita le chiot apeuré. Dago vint vers elle, s'assit, et, penchant la tête, se mit soudain à lécher les doigts et le visage de la gitane; elle entoura alors de ses deux bras le cou de Dagobert.

«Viens ici, Dago!» s'écria Claude, jalouse.

Dago secoua l'étreinte des petits bras bronzés et s'élança vers Claude. Jo sourit.

«Vous voyez, j'en fais ce que je veux, il vient à moi et me lèche. Je peux apprivoiser n'importe quel chien!

— Comment fais-tu?» demanda Mick étonné.

Il n'avait jamais vu Dagobert se lier d'amitié avec quelqu'un que Claude n'aimait pas.

«Je n'en sais rien, vraiment, répondit Jo renversant sa tête en arrière. Je crois que c'est un don de famille; maman travaillait dans un cirque, c'est elle qui dressait les chiens sur la piste. Il y en avait des douzaines, ils étaient ravissants et je les aimais tous.

— Où est ta maman? demanda François. Est-elle toujours dans un cirque?

— Non, elle est morte, répondit Jo. Mon père et moi, nous vivons dans une roulotte. Papa était acrobate; mais, un jour, il s'est blessé au pied.»

Les quatre enfants se souvinrent que, la veille, ils avaient vu le gitan boiter. Ils regardèrent en silence la petite fille mal lavée. Quelle étrange vie elle devait avoir connue!

«Elle est sale, elle ment probablement avec beaucoup de facilité, mais elle a des excuses, pensa François. Je serais pourtant content de la voir s'en aller.»

«Je voudrais bien ne pas lui avoir fait cet énorme bleu, pensa Mick. Une fois lavée et peignée, je suis sûr que Jo serait jolie.... Je crois qu'elle doit avoir besoin d'affection.»

«Elle me fait de la peine, mais je ne l'aime pas beaucoup», songeait Annie.

«Je ne crois pas un mot de ce qu'elle raconte. Pas un mot! C'est une comédienne et j'ai honte que mon chien lui ait manifesté de la sympathie», se répétait Claude.

«Où est ton père, aujourd'hui? demanda François.

— Il est allé voir quelqu'un, répondit Jo. Tant mieux, car il était de mauvaise humeur ce matin. Je me suis cachée entre les roues de la voiture.»

Il y eut un silence...

«Je peux rester avec vous jusqu'à ce que papa rentre? demanda soudain la petite voix musicale de Jo. Je me laverai si ça vous fait plaisir. Je ne veux pas être seule toute la journée.

— Oh non! s'écria Claude, nous ne voulons pas de toi!» Elle avait l'impression qu'elle ne pourrait pas supporter la gitane cinq minutes de plus. «N'est-ce pas, Annie?»

Annie avait horreur de faire de la peine. Elle hésita.

«Eh bien, dit-elle à la fin, peut-être vaudrait-il mieux que Jo s'en aille.

— Oui, dit François, tu as déjà passé un long moment avec nous.»

Jo regarda Mick avec des yeux implorants. Elle toucha le bleu de son menton comme si cela lui faisait mal. A nouveau, Mick eut des remords; il regarda les autres.

«Jo pourrait peut-être rester et partager notre pique-nique? demanda-t-il. Après tout, ce n'est pas sa faute si elle est sale et si...

41

— Oh non! s'écria tout à coup Jo en s'enfuyant. Je m'en vais, voilà mon père!»

L'homme apparut au loin; il boitait et marchait péniblement. Lorsqu'il vit Jo, il siffla. Jo se retourna vers les enfants et leur fit une grimace insolente.

«Je vous déteste», dit-elle, et montrant du doigt Mick : «Il n'y a que lui qui est gentil!»

Elle courut dans le sable. On aurait dit que ses pieds nus ne touchaient pas terre.

«Quelle gamine extraordinaire! dit François. Nous risquons fort de la revoir.»

Chapitre 6

Que se passa-t-il pendant la nuit?

Ce soir-là, Annie commença à se sentir oppressée lorsque la nuit tomba.

«Personne ne viendra cette nuit, n'est-ce pas, François? demanda-t-elle à son grand frère, au moins une demi-douzaine de fois.

— Non, Annie. Mais, si tu le veux, je dormirai dans ta chambre à la place de Claude.»

Annie réfléchit et secoua la tête.

«Non, répondit-elle. Je préfère avoir Claude et Dago. Tu comprends, Claude et moi — et même toi! — nous pouvons être effrayés, mais pas Dagobert.

— Tu as raison, répondit François. Mais je suis sûr que rien n'arrivera cette nuit. Si tu veux, nous allons fermer les fenêtres de nos chambres; tant pis si nous avons trop chaud; ainsi personne ne pourra entrer. »

Ce soir-là, François ne ferma pas seulement les portes et les fenêtres du rez-de-chaussée, comme il l'avait fait la veille (excepté celle de l'office qui ne fermait pas), mais aussi toutes les ouvertures de l'étage.

« Et la chambre de Maria? demanda Annie.

— Elle dort toujours la fenêtre fermée, hiver comme été, répondit François en grimaçant. Les gens de la campagne croient que l'air de la nuit est mauvais! Et maintenant, tu n'as plus rien à craindre. »

Annie alla calmement se coucher. Claude tira les rideaux. Si le « visage » apparaissait, elles ne risquaient pas de le voir, ni l'une ni l'autre.

« Sors Dagobert à ma place, demanda Claude à son cousin, Annie veut que je reste avec elle. Tu n'as qu'à ouvrir la porte et le laisser dehors, il rentrera tout seul.

— Parfait! » répondit François et il ouvrit la porte du bas.

Dagobert s'éloigna en remuant la queue. Il reniflait de tous côtés, car il aimait l'odeur des haies fraîchement taillées. Il mit le nez à l'entrée d'un terrier, puis guetta le moindre bruit avec l'espoir de surprendre un rat ou un lapin.

« Dagobert n'est pas rentré? demanda Claude du haut de l'escalier. Appelle-le, François, je veux qu'il vienne se coucher, Annie dort déjà.

— Il reviendra dans un petit moment, dit François qui voulait finir son livre, ne t'impatiente pas!»

Mais lorsqu'il acheva la dernière page, Dagobert n'était pas revenu. François sortit dans le jardin et siffla. Il s'attendait à voir accourir Dago. Mais il n'y eut aucun bruit. Il siffla de nouveau. Le temps lui parut long. Enfin il entendit le chien revenir.

«Te voilà, Dago! dit François. Où étais-tu? Tu chassais des lapins?»

Dago remua faiblement la queue; il ne fit aucune fête à François.

«On dirait que tu as fait une bêtise! Allez, va vite te coucher et n'oublie pas d'aboyer si tu entends du bruit.

— Ouah!» approuva Dago d'une voix éteinte. Il grimpa l'escalier, bondit sur le lit de Claude et soupira profondément.

«Quel soupir! murmura Claude. Qu'est-ce que tu as mangé? Tu as dû déterrer un vieil os, j'en suis sûre. Pouah! J'ai bien envie de te chasser de mon lit.»

Dagobert s'installa pour dormir, la tête posée sur les pieds de Claude, comme d'habitude. Il ronflait un petit peu, ce qui réveilla Claude au bout d'une demi-heure.

«Tais-toi, Dagobert!» ordonna-t-elle, en le poussant un peu.

Annie s'éveilla, inquiète.

«Qu'y a-t-il? demanda-t-elle, le cœur battant.

— Rien. C'est seulement Dagobert qui

45

ronfle. Il n'y a pas moyen de l'en empêcher, dit Claude irritée. Réveille-toi, Dago!»

Dago bougea un petit peu, puis se rendormit. Il ne ronflait plus. Claude et Annie s'assoupirent. François s'éveilla au milieu de la nuit. Il avait cru entendre quelque chose tomber; quelques instants plus tard, il sombra de nouveau dans le sommeil.

Il s'éveilla vers sept heures du matin. Maria descendait l'escalier, ouvrait les volets de la cuisine, s'affairait. François se rendormit.

Vingt minutes plus tard, des cris l'arrachèrent à ses rêves. Il se précipita hors de sa chambre. Mick le suivit.

«Regardez! Regardez! Le bureau de monsieur sens dessus dessous, les tiroirs vidés, les dossiers par terre, le coffre ouvert! Un voleur est venu ici cette nuit?»

Maria se lamentait...

«Mais comment est-il entré?» se demanda François.

Il sortit de la maison, regarda toutes les portes et toutes les fenêtres. Rien n'avait été touché.

Annie descendit; elle paraissait bouleversée.

«Qu'y a-t-il?»

François la rabroua, il avait besoin de mettre de l'ordre dans ses pensées. Comment ce voleur avait-il pu entrer si personne ne lui avait ouvert?

François se souvint d'avoir entendu du bruit au milieu de la nuit. Le chien n'avait-il donc pas aboyé? Pourquoi? Tout cela était bien mystérieux.

Dans sa chambre, Claude essayait en vain de réveiller Dagobert.

«François! François! Dago ne va pas bien, il ne peut pas se réveiller! cria-t-elle. Il respire très fort, écoute! Qu'y a-t-il en bas? Que s'est-il passé?»

François le lui expliqua en peu de mots, tandis qu'il examinait Dago.

«Quelqu'un est venu cette nuit et a fouillé dans le bureau de ton papa. Je me demande comment il a pu entrer.

— C'est horrible! s'écria Claude, qui avait pâli. Je suis sûre qu'il est arrivé quelque chose à Dago : il ne s'est même pas réveillé la nuit dernière quand le voleur est entré. Il est malade, François.

— Non, il a été drogué, dit le jeune garçon, en soulevant les paupières du chien. Voilà pourquoi il est resté si longtemps dehors. Quelqu'un a dû lui donner un morceau de viande contenant un somnifère; il l'a mangé et il s'est endormi si profondément qu'il n'a rien entendu et qu'il ne peut plus se réveiller.

— Oh! François, est-ce qu'il guérira? demanda Claude inquiète. Mais comment a-t-il pu accepter de la nourriture d'un étranger en pleine nuit?

— Peut-être qu'il n'a eu qu'à la ramasser par terre, murmura François. Maintenant je comprends pourquoi il avait l'air si abattu lorsqu'il est revenu. Il ne m'a même pas regardé!

— Oh! Dagobert, mon chéri, je t'en prie, réveille-toi!» supplia la pauvre Claude en caressant doucement le chien.

Il grogna un peu.

«Laisse-le, dit François. Il ira mieux tout à l'heure. Il n'est pas empoisonné, mais seulement endormi. Descends voir le bureau de ton père.»

Claude fut horrifiée en voyant la pièce.

«Il y avait ses deux carnets de notes sur l'Amérique! s'exclama-t-elle. Je suis sûre qu'ils y étaient! Papa avait dit que tous les pays du monde souhaiteraient posséder ces documents. Qu'allons-nous faire? C'est cela que le bandit est venu voler!

— Il vaut mieux appeler la police, dit gravement François. Nous ne pouvons résoudre de tels problèmes tout seuls. Connais-tu l'adresse de ton père en Espagne?

— Non, répondit Claude. Mes parents voulaient avoir de vraies vacances cette fois. Ils devaient nous télégraphier leur adresse dès qu'ils seraient installés quelque part.

— Bon. Appelons la police », décida François.

Claude le regarda. Son cousin agissait en homme. Il traversa le hall d'un pas ferme, décrocha le téléphone et appela la gendarmerie du bourg.

« François a raison, soupira Maria. Je vais préparer du café pour les gendarmes. »

Elle se sentait un peu réconfortée à l'idée d'offrir deux tasses de café bien chaud aux représentants de la loi. Ils lui poseraient maintes questions et elle serait fière de répondre.

Les quatre enfants demeurèrent silencieusement dans le bureau. Quel désordre! Pourrait-on jamais remettre tous ces dossiers en place et classer tous ces documents? Personne ne saurait vraiment ce qui avait disparu jusqu'au retour de l'oncle Henri.

« J'espère que Claude se trompe et que ces carnets si importants n'ont pas été volés ; oncle Henri les avait peut-être emportés avec lui, dit Dick.

— Le voleur a probablement trouvé ce qu'il cherchait, répondit François, plus pessimiste. Voilà la police. Venez ! Je crois que nous ne prendrons notre petit déjeuner que fort tard ce matin. »

Chapitre 7
Les gendarmes dans la maison

Les gendarmes étaient lents et minutieux. Les enfants se sentirent lassés d'eux bien avant le déjeuner. Mais Maria, au contraire, s'affairait, leur offrait du café. Elle était fière de penser que c'était elle qui avait découvert le méfait!

Il y avait deux gendarmes : l'un était un brigadier solennel et très poli. Il interrogea chacun des enfants, en leur posant exactement les mêmes questions. L'autre inspecta méticuleusement le bureau, centimètre par centimètre.

«Il cherche des empreintes digitales, je suppose, dit Annie.

— Oh! j'ai envie d'aller me baigner!» soupira Claude.

Les deux hommes firent le tour de la maison lentement, en essayant d'ouvrir chaque porte fermée de l'intérieur. Ils s'arrêtèrent devant la fenêtre de l'office.

«Peut-on passer là? demanda l'un d'entre eux.

— Il aurait fallu que ce voleur soit de la taille d'un ouistiti», répondit l'autre.

Il se retourna vers Annie, la plus petite des quatre enfants.

«Pourriez-vous passer par là, mademoiselle?

— Je ne crois pas, répondit Annie, mais je vais essayer si vous voulez.»

Elle essaya, mais dut y renoncer; son frère l'aida à redescendre.

«Avez-vous une idée de ce qui a été volé? demanda le brigadier à François.

— Non, brigadier, aucun de nous ne le sait, pas même Claude qui est la fille du savant. La seule chose que nous savons, c'est que mon oncle est allé en Amérique pour faire des conférences, il y a quelque temps, et qu'il a rapporté deux carnets de notes et quelques documents "très importants", disait-il. Il a même ajouté que "les pays étrangers seraient heureux de posséder ces papiers!" Je pensais qu'il les avait enfermés dans ce coffre...

— Ils ont dû être volés, répondit le brigadier, fermant son propre carnet. C'est dommage que les savants laissent de tels documents dans un coffre ordinaire et partent en voyage sans laisser d'adresse. Nous ne pouvons donc pas joindre votre père? Cela pourrait être pourtant très important!»

François semblait inquiet...

«Nous aurons son adresse dans un jour ou deux, dit-il.

— Bien. Nous partons maintenant, conclut le brigadier. Mais nous reviendrons après le déjeuner pour photographier la pièce. La cuisinière pourra ensuite remettre tout en ordre, je sais qu'elle attend avec impatience de pouvoir le faire!»

«Ils vont revenir! soupira Annie quand les deux hommes, marchant solennellement dans l'allée, s'éloignèrent et grimpèrent dans leur voiture. Est-ce qu'ils vont encore nous interroger? Comment leur échapper?

— Si nous allions à la plage? Nous prendrions ton bateau, suggéra François en riant...

— Oui, partons loin d'eux; de toute façon, je ne vois pas en quoi nous pourrions les aider. Mais je voudrais bien savoir comment le voleur est entré!»

Claude avait été très calme durant toute la matinée. Son chien semblait maintenant remis, bien qu'il parût encore un peu somnolent.

«Pauvre Dago! disait la petite fille émue. Il ne pouvait pas savoir ce qui allait lui arriver. Mais d'habitude il est plus intelligent!

— Il a beaucoup de flair, il n'aurait pas touché une viande empoisonnée, mais une poudre narcotique n'a peut-être pas d'odeur, répondit Mick.

— Si seulement il avait pu se réveiller un peu, grogna Claude. En entendant des bruits au bas de l'escalier, il aurait aboyé et nous aurait réveillés. Je m'en veux de ne pas l'avoir sorti moi-même la nuit dernière comme je le fais d'ordinaire.

— Il y a eu toute une suite d'incidents, dit François. Tu n'as pas pu le sortir, alors il est sorti seul ; quelqu'un l'attendait et lui a donné à manger.

— Non, coupa Claude, Dago n'aurait jamais accepté un morceau de viande d'une main étrangère ; je lui ai toujours appris à refuser.

— Mais les faits sont là, dit François. Il a dormi justement la nuit où il aurait dû se réveiller, et je suis très inquiet à l'idée que les voleurs ont pu s'emparer des deux carnets de ton père sur l'Amérique. »

Maria vint leur dire que le déjeuner était prêt. Elle apprit aux enfants que les gendarmes avaient mangé ce matin des chaussons aux pommes de sa fabrication. La vieille servante se donnait de l'importance espérant que tout le village serait au courant de ses faits et gestes ; elle brûlait d'impatience d'aller raconter toutes ces aventures à ses amies...

« Vous resterez à la maison, lui dit François et vous servirez le thé aux gendarmes. Ils vont venir avec le photographe.

— Alors il faudrait que je leur prépare quelque chose, répondit Maria enchantée.

— Oui, un bon gâteau au chocolat par exemple, suggéra Annie en souriant.

— Oh ! croyez-vous qu'ils aimeraient cela ? demanda la cuisinière.

— Mais non ! Si vous faites un entremets, faites-le pour nous ! grogna Claude. Pouvez-vous nous préparer un bon goûter que nous emporterions ? Nous allons nous promener en bateau. Nous en avons assez des visites des gendarmes. »

54

Maria obéit. Dagobert semblait un peu plus réveillé et il les suivit.

« Il va mieux ! s'exclama Claude, toute contente. Dagobert, je ne te laisserai plus maintenant. Si quelqu'un veut t'endormir, il aura affaire à moi ! »

Ils passèrent un moment merveilleux à bord du voilier de Claude. Ils s'arrêtèrent à mi-chemin de l'île de Kernach et plongèrent du bateau ; ils nageaient tout autour et remontaient à bord épuisés et contents. De temps en temps, Dagobert se jetait, lui aussi, dans les vagues.

« Il ne nage pas réellement, dit Annie ; il essaie de courir à travers l'eau. Je voudrais pouvoir monter sur son dos, mais il se sauve dès que je fais mine de grimper sur lui. »

Ils rentrèrent vers six heures. Les gendarmes avaient mangé tout le gâteau au chocolat que Maria avait cuit pour eux.

Le bureau était rangé, un ouvrier avait réparé le coffre, chaque chose était à sa place.

« Tout objet de valeur devra nous être confié jusqu'au retour du savant, décida le brigadier.

— Mais nous ne savons pas quels papiers ont de la valeur ou non, expliqua François. Il faut attendre le télégramme de l'oncle Henri. J'espère que nous ne serons plus inquiétés par le voleur, il a dû emporter ce qu'il voulait. »

Tous ces événements avaient beaucoup fatigué les enfants, à l'exception de François. A neuf heures, Mick déclara :

«Je vais me coucher.

— Moi aussi, ajouta Annie. Tu viens, Claude ?

— Je vais promener Dagobert, avant de me coucher. Plus jamais je ne le laisserai sortir seul. Si tu veux aller dormir, François, je fermerai la porte.

— Très bien, répondit le garçon, je monterai dans un instant. N'oublie pas de mettre la chaîne de sécurité, lorsque tu auras fermé la porte. Je pense que nous ne verrons plus de bandits cette nuit.

— Ni de visage à la fenêtre ! ajouta Annie.

— Non, murmura François. Bonsoir, ma petite Annie, dors bien.»

Annie et Mick montèrent. François acheva la lecture de son journal, puis il vérifia les portes et les fenêtres de la maison. Maria était déjà couchée ; elle rêvait de gendarmes mangeant ses gâteaux au chocolat. Claude sortit avec son chien ; il courut jusqu'à la grille, mais soudain s'immobilisa et grogna.

«Tais-toi, Dago, dit Claude, s'approchant de lui. C'est une roulotte. Tu n'as jamais vu de roulotte ? Cesse donc d'aboyer.»

Ils allèrent faire leur promenade habituelle. Dagobert mettait son nez dans tous les trous creusés par les lapins ; il s'amusait beaucoup. Claude aimait aussi se promener le soir, elle ne se pressa pas puisque François ne l'attendait pas.

François alla se coucher et laissa la porte d'en bas entrouverte. Lorsqu'il fut dans son lit, il sentit le sommeil le gagner. Mais il fit un effort pour rester un moment éveillé, guettant le retour de Claude. Enfin, il entendit la porte d'en bas se refermer.

«Elle est rentrée», pensa-t-il et, se tournant vers le mur, il s'endormit. Mais ce n'était pas Claude. Son lit demeura vide toute la nuit et personne ne sut — pas même Annie — que la petite fille et son chien n'étaient pas revenus.

Chapitre 8

Où est Claude?

Annie s'éveilla au milieu de la nuit. Elle avait soif. Dans l'obscurité, elle chuchota :

«Claude, es-tu réveillée?»

Pas de réponse. Elle se leva sans bruit, marcha sur la pointe des pieds et se servit un verre d'eau, sans allumer la lumière. Claude n'aimait pas être réveillée au milieu de la nuit. Pas un instant Annie ne pensa que sa cousine n'était pas dans son lit.

Elle se rendormit et s'éveilla seulement en entendant la voix claironnante de Mick :

«Debout, les filles! Il est huit heures un quart! Nous allons à la plage!»

Annie s'étira, bâilla, puis regarda le lit de Claude. Il était vide, et même pas défait!

«Eh bien, s'écria Annie étonné, non seulement Claude est déjà debout, mais elle a fait son lit! Elle aurait pu me réveiller, je serais sortie avec elle. Quelle belle matinée! Elle a probablement emmené Dago.»

La petite fille mit son maillot de bain et courut rejoindre les garçons. Ils étaient au bas de l'escalier, pieds nus.

«Claude est déjà sortie, annonça-t-elle. Elle a dû se réveiller de bonne heure et emmener son chien, je ne l'ai même pas entendue.»

François était maintenant sur le seuil de la porte.

«Cette fois-ci, elle a été gentille. Elle a tiré la porte tout doucement derrière elle, sans la fermer. La dernière fois qu'elle est sortie tôt, elle l'avait claquée si fort qu'elle a réveillé tout le monde.

— Elle a dû aller à la pêche en bateau, ajouta Mick. Hier, elle disait : "Quand la marée sera propice, j'irai taquiner le poisson." Elle va probablement revenir avec un filet plein. Maria pourra faire cuire les soles et les sardines.»

Lorsqu'ils arrivèrent à la plage, ils regardèrent la mer. Il y avait un bateau au loin. On distinguait deux silhouettes à bord.

«Claude et Dago!» s'écria Mick.

Il appela le plus fort qu'il put, mais le bateau était trop loin, personne ne lui répondit; les trois enfants plongèrent la tête la première dans les vagues froides.

«Délicieux! dit Annie en sortant de l'eau, ruisselante dans le soleil du matin. Courons pour nous réchauffer.»

Ils se poursuivirent les uns les autres le long de la plage et s'aperçurent soudain qu'ils avaient très faim. Ils rentrèrent pour le petit déjeuner.

«Où est Claude? demanda Maria, en apportant le café et les tartines beurrées. J'ai vu que son lit était fait... Où est-elle?

— Je pense qu'elle est partie à la pêche avec son chien, répondit Mick. Elle avait très envie d'y aller.

— Je ne l'ai jamais entendue dire cela, contesta Maria. Enfin, bon appétit, mes enfants!

— Oh! que cela a l'air bon! dit Annie. J'ai vraiment faim! Allons-nous aussi manger la part de Claude? Elle ne reviendra certainement pas avant deux heures.

— Oui, si vous voulez», répondit la cuisinière.

Les trois enfants dévorèrent à belles dents le pain grillé sur lequel ils étalaient la bonne confiture de groseilles. Puis Annie alla aider Maria à faire les lits, tandis que François et Mick se rendaient au village pour les courses.

Plus personne ne s'inquiétait de Claude. Les garçons revinrent du marché et virent le petit bateau de pêche toujours balancé au loin sur les vagues.

«Claude mourra de faim lorsqu'elle reviendra, dit François. Elle traverse peut-être une crise de solitude. Elle était tellement furieuse que son chien ait été drogué!»

Ils rencontrèrent Jo, la gitane, qui marchait pieds nus sur le sable et ramassait des débris de bois. Jo paraissait encore plus sale que d'habitude.

«Hello!» appela Mick.

La fillette leva la tête et vint vers eux sans sourire. Elle semblait avoir pleuré. Son petit visage portait encore la trace des larmes.

«Bonjour», dit-elle, regardant Mick.

Jo avait l'air si misérable qu'il en fut touché.

«Que t'est-il arrivé?» demanda-t-il gentiment.

Tant de douceur fit à nouveau pleurer la petite gitane. Elle s'essuya du revers de la main. Son visage était tout barbouillé.

«Rien, dit-elle. Où est Annie?

— Annie est à la maison, et Claude est partie en bateau avec Dagobert pour pêcher, répondit Mick.

— Ah! bon!» murmura Jo.

Et elle s'éloigna. Le garçon courut après elle.

«Pourquoi t'en vas-tu comme ça? Raconte-moi ce qu'il t'arrive.»

Il la força à se retourner vers lui. Il la regarda de plus près et remarqua qu'elle avait maintenant deux bleus sur la figure.

«Qui t'a frappée? demanda-t-il.

— Mon père, répondit la gitane, il est parti, emmenant le cheval et la roulotte, il m'a laissée toute seule. Je voulais m'en aller, moi aussi. Je m'étais cachée à l'intérieur de la voiture, il m'a poussée dehors. Je suis tombée. J'ai aussi un autre bleu sur la jambe.»

Mick et François écoutèrent, avec un frisson d'horreur. Jo avait vraiment une vie épouvantable. Ils s'assirent et obligèrent la petite fille à se mettre entre eux.

«Mais ton père va sûrement revenir, dit François, la roulotte est votre seule maison.

— Oui, répondit Jo, nous n'en avons jamais eu d'autre. Nous avons toujours habité cette voiture. Lorsque maman vivait, j'étais plus heureuse. C'est la première fois que papa est parti sans moi.

— Comment vas-tu faire pour vivre maintenant? demanda Mick.

— Papa m'a dit que Manolo me donnerait de l'argent pour acheter de quoi manger, répondit Jo, à condition que je lui obéisse. Je déteste Manolo, il est méchant!

— Qui est Manolo? demanda François de plus en plus étonné.

— Manolo est un gitan, un ami de mon père. Il est toujours sur les routes. Si je l'attends ici, il viendra me donner un peu d'argent.

— Pourquoi dois-tu lui obéir? Que va-t-il te commander? demanda Mick. Tout ça est horrible!

— Oh! Manolo m'ordonnera d'aller voler quelque chose... Nous ne vivons pas comme vous, vous savez»,
dit Jo. Elle
avait peur que
Mick et François
lui fassent des
reproches.
«J'espère qu'il me
donnera de l'argent
aujourd'hui parce
que je n'en ai
plus du tout
et que j'ai
très faim.»

Mick et François se regardèrent. Pauvre Jo qui vivait dans la crainte, souvent affamée et solitaire!

Mick plongea sa main dans le panier à provisions, en ressortit un paquet de beurre et quelques biscuits.

«Prends toujours cela, dit-il, et viens de temps en temps frapper à la cuisine; demande à Maria, la cuisinière, de te donner à manger, elle le fera de bon cœur. Je le lui dirai.

— Les gens n'aiment pas que je m'approche de leur maison, ils ont toujours peur que je leur vole quelque chose.» Jo cligna de l'œil en regardant Mick. «Cela m'arrive quelquefois... ajouta-t-elle.

— Tu ne devrais pas faire ça! gronda Mick.

— Et que ferais-tu, toi, si tu mourais de faim?

— Je crois que je ne volerais pas... Enfin, j'espère...», répondit Mick qui ne s'était jamais posé la question. «Mais où est Manolo?

— Je ne sais pas... Quelque part par là... Il me trouve toujours lorsqu'il a besoin de moi. Papa m'a dit que je n'avais qu'à rester sur la plage. Alors je ne pourrai pas aller chez vous aujourd'hui.»

Les deux garçons se levèrent pour partir. Ils étaient inquiets pour la petite gitane, mais que faire? Rien, sinon la nourrir et lui donner un peu d'argent. Mick sortit une pièce de sa poche; Jo la prit sans un mot, les yeux brillants.

Claude n'était toujours pas à la maison à l'heure du déjeuner. Pour la première fois, François se sentit anxieux. Il courut à la plage pour voir si le bateau voguait toujours en mer, mais justement l'embarcation approchait de la grève et, le cœur serré, François vit que deux garçons étaient à son bord.

Le bateau de Claude était amarré avec les autres; ce n'était donc pas elle qu'ils avaient vue au loin, ce matin. Claude n'était pas partie à la pêche. François eut des remords d'avoir été si insouciant. Il courut à la villa des Mouettes et fit part aux autres de son inquiétude. Tous furent bouleversés. Qu'était-il arrivé à Claude?

«Attendons jusqu'à l'heure du goûter, dit François, si elle n'est pas revenue, il faudra agir, appeler encore une fois la police, peut-être.»

A l'heure du goûter, Claude n'était toujours pas là, ni Dagobert. Les enfants entendirent quelqu'un marcher dans le jardin et se précipitèrent tous à la fenêtre.

«C'est Jo! dit Mick déçu. Qu'est-ce qu'elle veut?»

Chapitre 9

L'extraordinaire message

François ouvrit
la porte. Sans un mot, Jo lui
tendit une grande enveloppe. François la prit ;
il se demandait ce que c'était. La gitane allait
s'enfuir, mais le garçon la retint fermement,
tandis qu'il lisait le message.

« Mick ! appela-t-il. Occupe-toi de Jo, ne la
laisse par partir. Enferme-la à l'intérieur, tout
cela est très sérieux ! »

La gitane n'avait aucune envie d'être prisonnière ; elle cria et se débattit comme un beau
diable. Dans sa fureur, elle donnait des coups
de pied à Mick.

« Laisse-moi partir, je n'ai rien fait de mal,
j'ai juste apporté ce message ! hurlait-elle.

— Tais-toi! Ne sois pas sotte! Je ne vais pas te battre, tu le sais bien. Mais il faut que tu restes à l'intérieur de la maison!»

Elle continua à crier ; elle semblait terrifiée. Enfin Mick et François arrivèrent à l'enfermer dans la salle à manger. Annie survint, l'effroi se lisait sur son visage.

«Venez voir, dit François lorsque la porte fut fermée, c'est incroyable!»

Il tendit le message aux autres — c'était une feuille tapée à la machine — et ils lurent à voix basse :

Nous voulons le second carnet de notes du savant, celui qui contient des schémas et des dessins. Trouvez-le, mettez-le sous la première dalle du chemin pavé, à l'entrée du jardin, ce soir même.

Nous avons kidnappé la petite fille et son chien, nous les libérerons lorsque nous aurons obtenu ce document. Si vous appelez la police, ni l'enfant ni le chien ne reviendront. La maison sera surveillée afin que personne n'en sorte pour alerter les gendarmes. La ligne téléphonique est coupée.

Quand il fera nuit, allumez les lumières de la pièce du devant, asseyez-vous non loin de la fenêtre, tous les trois là, ainsi que la bonne Maria. afin que nous puissions vous voir et vous surveiller. A onze heures, l'aîné des garçons sortira de la maison ; il portera une lampe et viendra placer le carnet de notes là où nous vous le demandons ; il devra retourner aussitôt après dans la pièce éclairée. Quand vous entendrez un cri pareil à celui de la chouette, cela signifiera que nous avons pris le document. La petite fille et le chien seront alors immédiatement relâchés.

Ce message effrayant fit pleurer Annie. Elle s'accrocha désespérément au bras de François.

«François! François! Claude a été kidnappée! Pourquoi n'avons-nous pas commencé à la chercher tout de suite?»

François avait pâli, il s'efforçait de réfléchir.

«Oui, quelqu'un devait guetter Claude et Dagobert dans l'obscurité, il n'y a pas de doute; il est venu ensuite fermer la porte de la maison pour faire croire que Claude était rentrée. On nous a aussi probablement espionnés aujourd'hui pour savoir si nous nous inquiétions de la disparition de Claude, expliqua François.

— Qui t'a donné ce message?» demanda Mick durement à la gitane.

Elle tremblait.

«Un homme», dit-elle.

A son tour, François l'interrogea.

«Quelle sorte d'homme?

— Je ne sais pas, répondit-elle.

— Si, tu sais! affirma Mick. Il faut nous le dire, Jo!»

Jo semblait sans forces. Mick la prit aux épaules et la secoua. Elle essaya en vain de s'enfuir.

«Parle! Dis-nous comment était cet homme! exigea-t-il.

— Il était grand, il avait une longue barbe, un long nez, des yeux noirs, dit Jo très vite. Il portait des vêtements de pêcheur, et il parlait comme un étranger.»

«Ne te moque pas de nous, Jo! gronda François.

— Je dis la vérité, répondit la gitane, je ne l'avais jamais vu avant.

— Jo, dit Annie, prenant la petite main noiraude de Jo dans les siennes, je t'en supplie, dis-nous tout ce que tu sais, nous sommes tellement inquiets pour la pauvre Claude!»

Tandis qu'elle parlait, les larmes coulaient de ses yeux.

«C'est bien fait pour cette fille, répondit Jo durement. Ça lui apprendra. Je ne vous dirai rien.

— Pourquoi deviens-tu méchante? demanda Mick. J'ai été attristé par ton sort, mais je ne le suis plus maintenant.»

La gitane parut effrayée, ses yeux étaient pleins de larmes.

«Laissez-moi partir, dit-elle, je vous ai dit la vérité. Cet homme m'a donné dix francs pour que je vous apporte ce message, c'est tout ce

que je sais. Quant à Claude, elle n'est pas assez gentille pour que je la plaigne!

— Laissez-la partir, dit François. Je la croyais bonne, au fond. Hélas! je me suis trompé.

— Je le pensais aussi, dit Mick, lâchant le bras de la gitane; je l'aimais un peu. Eh bien, va-t'en, Jo. Nous ne voulons plus de toi ici.»

La gitane courut vers la porte et s'enfuit dans le jardin. Il y eut un long silence après son départ.

«François, demanda Annie, qu'allons-nous faire?»

François ne dit rien. Il traversa le hall, il décrocha le téléphone, colla son oreille contre l'écouteur, attendit. Au bout d'un moment, il raccrocha.

«Il n'y a pas de tonalité, dit-il, ils ont dû couper la ligne. Je suis sûr qu'il y a vraiment quelqu'un pour nous espionner. Tout cela est absurde! Cela ne peut pas être vrai!

— Mais c'est vrai, François, affirma Mick. Sais-tu quel carnet de notes ils exigent? Je n'en ai aucune idée!

— Moi non plus, répondit François. De toute façon, il est impossible de chercher quelque chose parmi les documents de l'oncle Henri, car le coffre est refermé et ce sont les gendarmes qui en ont la clef.

— Alors, qu'allons-nous faire? interrogea Mick. Veux-tu que je sorte et que j'aille à la gendarmerie?

— Non, répondit François après quelques minutes de réflexion. Nous avons affaire à des gens trop forts. La vie de Claude est en jeu et puis tu pourrais être pris et kidnappé en chemin. N'oublie pas que nous sommes surveillés!

— Mais, François, nous ne pouvons pas rester ici sans agir!

— Je sais, Mick, mais il nous faut être prudents. Si seulement nous savions où Claude a été enfermée, nous pourrions la sauver, mais je ne vois pas comment découvrir l'endroit où elle se trouve.

— J'ai une idée! s'écria Mick. L'un d'entre nous va se cacher dans les buissons du jardin près de la grille d'entrée; il attendra pour voir qui prendra le carnet de notes; en suivant ensuite le voleur, nous découvrirons sans doute l'endroit où se trouve Claude.

— Tu oublies que nous devons tous être assis dans la pièce éclairée, répondit François. Les bandits s'apercevraient vite que quelqu'un manque; même Maria doit être là! Ton plan est impossible!

— Personne ne doit venir à la maison ce soir? Aucun commerçant, par exemple?» demanda Annie.

Elle parlait tout bas : elle avait l'impression

qu'il y avait des gens aux aguets autour de la maison.

«Non, c'est dommage, nous aurions pu lui donner un message», dit François.

Et soudain, il frappa si violemment sur la table que les autres sursautèrent.

«Mais si! Quelqu'un vient! Le petit marchand de journaux. Nous sommes parmi les derniers à qui il distribue le quotidien du soir. Mais c'est peut-être risqué de lui confier un message. Cherchons encore!

— Ecoutez, dit Mick les yeux brillants. J'ai trouvé. Je connais le marchand de journaux. Nous laisserons la porte ouverte, nous le ferons entrer immédiatement, je ressortirai avec sa casquette sur la tête et sa sacoche en bandoulière, je sauterai sur sa bicyclette et je m'enfuirai. Aucun des espions ne pourra se douter de la substitution. Je reviendrai lorsque la nuit sera tombée et je me cacherai dans les parages du jardin pour surveiller. Je verrai bien qui s'empare du document caché et je le suivrai.

— Bonne idée, Mick, approuva François. Oui, c'est possible. Si nous pouvons nous débrouiller sans la police ce sera mieux, car les bandits risquent de se venger sur Claude.

— Est-ce que le marchand de journaux ne va pas être étonné de tout cela? demanda Annie.

— Non, il est un peu simple d'esprit; il croit tout ce qu'on lui raconte. Nous n'aurons qu'à être très gentils avec lui; il passera une si bonne soirée qu'il ne pensera plus qu'à revenir.

— A propos du carnet de notes, dit François, nous allons prendre n'importe quel cahier dans le bureau de l'oncle Henri. Nous écrirons un petit mot à l'intérieur pour dire que nous espérons que c'est le bon. Celui qui viendra ramasser le document ne saura pas si c'est bien ce que cherchaient les bandits!

— Trouve un cahier, Annie, demanda Mick, moi je guette le marchand de journaux. Il ne vient jamais avant sept heures et demie, mais je ne veux pas le manquer, si, par hasard, il venait plus tôt.»

Annie courut au bureau de son oncle. Elle était contente d'avoir quelque chose à faire. Ses mains tremblaient tandis qu'elle fouillait dans les tiroirs. François resta avec Mick sur le seuil de la porte. Ils attendaient patiemment. L'horloge sonna six heures, puis six heures et demie, puis sept heures.

«Le voilà! s'écria Mick soudain. Occupe-toi bien de lui.

— Bonsoir, Jeannot!»

Chapitre 10

La merveilleuse
soirée de Jeannot

Jeannot,
le mar-
chand de
journaux,
fut très
étonné de se sentir happé par François. Et il
fut encore plus surpris de sentir qu'on lui arra-
chait sa casquette et son sac de journaux.

« Hé là! s'écria-t-il, qu'est-ce que vous faites?

— Ne t'inquiète pas, Jeannot, dit François
en le tenant fermement, c'est un jeu. Une plai-
santerie. »

Jeannot détestait les plaisanteries. Il se
débattit un peu, puis abandonna. François était
grand et fort et semblait très résolu. Jeannot
se retourna et s'aperçut que Mick avait mis sa
casquette et emportait sa sacoche. Il poussa
un rugissement quand il vit le jeune garçon
enfourcher sa bicyclette et s'en aller.

«Vous avez de drôles de jeux! dit-il à François.

— Ne t'inquiète pas, répondit François en le poussant dans un fauteuil. Quelqu'un a parié que Mick ne serait pas capable de distribuer les journaux.

— C'est ça? demanda Jeannot.

— Tu as deviné! s'exclama François. Mick a voulu gagner le pari.

— Bon, j'espère qu'il fera bien mon travail; de toute façon, il n'en a plus que deux à distribuer dans les fermes voisines. Quand va-t-il revenir?

— Bientôt, dit François. Veux-tu rester dîner avec nous?»

Jeannot n'en croyait pas ses oreilles. On l'invitait à dîner à la villa des Mouettes, lui, le petit marchand de journaux!

«Comment? Dîner avec vous?... mais... enfin cela me ferait plaisir, oui...

— Très bien. Je suis content que tu aies accepté tout de suite. Assieds-toi et regarde ces livres.»

François lui tendait deux beaux livres illustrés qui appartenaient à Annie.

«Je vais dire à la cuisinière de nous faire un bon repas.»

Jeannot, très étonné, obéit, feuilleta les albums et imagina la surprise de sa maman lorsqu'elle saurait comme il avait été bien reçu à la villa des Mouettes.

Pendant ce temps, François expliquait la vérité à Maria. Il fallait qu'elle les aide dans leur plan. Il avait l'air si grave que Maria s'écria :

«Mon Dieu! Qu'est-il arrivé?»

François lui parla à voix basse et lui expliqua que Claude avait été enlevée; il lui raconta le texte du message. Elle s'assit, car ses vieilles jambes commençaient à trembler.

«C'est exactement le genre de choses qu'on lit dans les journaux, monsieur François! soupira-t-elle d'une voix brisée. Ah! je n'aime pas ça!

— Nous non plus», répondit François.

Puis il exposa à la cuisinière ce qu'ils allaient faire. Elle ne put s'empêcher de sourire lorsqu'elle apprit que Mick s'était déguisé en marchand de journaux.

«Pauvre Jeannot, dit-elle, personne au village n'a jamais dû l'inviter à dîner. Il est un peu innocent! Je vais lui faire un bon repas, n'ayez pas peur. Et puis je viendrai, je m'assiérai avec vous ce soir dans le salon; nous jouerons aux cartes!

— Bonne idée, riposta François, qui se demandait comment il pourrait entretenir la conversation avec Jeannot durant toute une soirée.

— Nous jouerons avec le gamin et nous le laisserons gagner.»

Le petit marchand de journaux se montra ravi de cette soirée. Il avait trouvé le dîner délicieux et avait mangé à lui tout seul la moitié d'un énorme gâteau au chocolat.

«J'aime beaucoup le chocolat! avait-il confié

à Annie. Votre cuisinière le savait car elle bavarde souvent avec ma mère.»

Annie lui répondait en souriant. Elle le trouvait gentil et il l'amusait par sa naïveté, mais, tout au fond d'elle-même, elle demeurait inquiète.

Jeannot était un invité bien gentil. Il battait des mains, riait avec plaisir et remerciait tout le temps.

Après le dîner, il alla à la cuisine et proposa à Maria de l'aider à faire la vaisselle.

«J'aide toujours maman, dit-il, et je ne casse jamais rien.»

Maria le laissa faire, Annie prit un torchon et essuya.

Jeannot eut l'air ennuyé lorsqu'on lui proposa de jouer aux cartes.

«Je ne sais jouer qu'à la bataille, dit-il.

— Eh bien, jouons à la bataille! répondit François.

— Parfait! La bataille, ça me connaît!»

Jeannot gagna et fut enchanté.

«Je n'ai jamais passé une soirée aussi formidable! s'exclama-t-il. Vous êtes des amis! de vrais amis! J'espère que votre frère a bien distribué les journaux

— Oh! bien sûr!» répondit François.

Ils étaient maintenant tous assis dans le salon brillamment éclairé. Si un inconnu surveillait la maison, il pouvait les voir facilement, mais personne ne devinerait que l'un des enfants était le marchand de journaux et non pas Mick.

A onze heures, François sortit avec le paquet qu'Annie avait préparé : un cahier de notes bien plié dans du papier d'emballage. François y avait glissé quelques mots : «Voici le carnet demandé, je vous prie de relâcher notre cousine immédiatement, vous vous attireriez de graves ennuis en la retenant encore.»

Il traversa le jardin, sa lampe électrique à la main. Il s'approcha de la grille du jardin, souleva facilement la dalle, glissa le paquet dans un trou qui semblait avoir été préparé à l'avance et regarda tout autour de lui prudemment, en se demandant si Mick était caché quelque part, mais il ne vit personne. Il revint dans la pièce éclairée où les autres jouaient toujours aux cartes. Il se remit à jouer, très mal, d'une part parce qu'il voulait laisser gagner Jeannot, d'autre part parce qu'il était inquiet pour son frère. Soudain, ils sursautèrent, ils venaient d'entendre le cri de la chouette. François sourit à Maria et à Annie : ce signal leur annonçait que le paquet avait été trouvé et emporté. Maria disparut et revint avec des tasses de chocolat et des brioches. Les yeux de Jeannot brillèrent. Décidément, tout était parfait.

On resta quelques instants encore à boire du chocolat et à écouter Jeannot.

«Ta maman doit commencer à s'inquiéter, dit François en regardant la pendule. Il est très tard.

— Où est ma bicyclette? demanda Jeannot, réalisant avec tristesse que cette merveilleuse soirée s'achevait. Votre frère n'est pas encore revenu? Eh bien, vous lui direz de déposer mon vélo chez moi demain matin, et ma casquette. J'aime beaucoup cette casquette-là et je ne veux pas la perdre.

— Mon frère te rapportera toutes tes affaires, sois tranquille.»

François se sentait tout d'un coup très fatigué.

«Et maintenant écoute, Jeannot. Il est très tard, si tu rencontres sur la route des gens qui veulent te parler, ne leur réponds pas, marche le plus vite possible et ne t'arrête pas en chemin.

— Bon, je vais courir!» approuva Jeannot.

Il leur serra la main à tous, de façon assez solennelle, et partit en sifflotant pour se donner du courage. Au coin d'une rue, un gendarme l'appela; le gamin sursauta.

«Eh bien, jeune Jeannot, dit le gendarme, que fais-tu dehors à cette heure?»

Jeannot ne répondit pas et partit en courant. Lorsqu'il arriva chez lui, il vit devant la porte sa bicyclette, sa casquette et sa sacoche. «C'est parfait», songea-t-il. Mais il fut un peu déçu de trouver la maison obscure; sa maman était endormie, il lui faudrait attendre le lendemain matin pour lui raconter sa merveilleuse aventure à la villa des Mouettes.

Pendant ce temps-là, qu'était-il arrivé à Mick? Il était parti de la maison sur la bicyclette de Jeannot, la casquette sur la tête. Il avait cru voir bouger les petites branches d'un buisson près du jardin et avait deviné que quelqu'un se cachait là. Délibérément, il s'était arrêté comme pour vérifier l'état de ses pneus. L'espion avait ainsi pu voir sa sacoche de journaux et le confondre avec Jeannot, le petit commissionnaire.

Mick s'était rendu à la ferme, avait distribué les deux quotidiens du soir ; puis il était allé au bourg afin de déposer les affaires de Jeannot devant sa porte. Ensuite, il était entré dans un cinéma jusqu'à ce que la nuit tombe. L'obscurité venue, de retour à la villa des Mouettes, il avait hésité avant de se cacher. Si, en se glissant dans un buisson, il se heurtait à un espion ayant déjà choisi cette cachette, il était perdu !

Chapitre 11

L'embuscade
de Mick

Mick
demeura immobile ;
il retenait sa res-
piration pour mieux écouter. Il n'entendait
rien hormis le frémissement des feuilles dans
le léger vent nocturne. La nuit était profonde,
des nuages obscurcissaient la lune. Quelqu'un
guettait peut-être, tapi dans les buissons ?

Il réfléchit pendant quelques minutes, puis
conclut que personne ne devait surveiller
l'arrière de la maison qui se trouvait dans
l'ombre. François et les autres étaient assis
dans le salon éclairé.

Enfin, Mick décida de grimper dans un
arbre.

« Pourquoi pas justement dans celui qui se
trouve près de la grille ? Si le vent chasse
un peu les nuages, je pourrai peut-être voir
l'homme qui s'emparera du paquet ; je descen-

drai alors doucement de mon arbre et je le suivrai.»

Aussitôt dit, aussitôt fait. Il s'installa le plus commodément possible sur une branche et attendit.

«Quelle heure indiquait le message?... Onze heures.» Mick entendit la cloche du village sonner dix heures et demie. Encore une demi-heure à attendre! Il glissa sa main dans sa poche, en ressortit un morceau de chocolat qu'il suça lentement pour faire durer le plaisir. Onze heures moins le quart... Mick finit son chocolat, et se demanda si François tarderait encore. Juste au moment où le premier coup de onze heures tinta, la porte de la cuisine s'ouvrit et Mick vit son frère apparaître, portant le paquet sous son bras.

Mick regarda François marcher vers la grille et le sentier; il ne lui fit pas signe, car il redoutait d'être vu par quelqu'un d'autre. Puis François, après avoir déposé le paquet sous la dalle, retourna vers la cuisine et claqua la porte derrière lui.

Mick se sentait nerveux... Qui viendrait prendre le paquet? Une feuille emportée par le vent tomba dans son cou et le fit sursauter.

Cinq minutes s'écoulèrent; personne ne venait. Enfin, Mick entendit un bruit léger; quelqu'un rampait dans les buissons.... Mick s'efforçait de voir; il distingua seulement une ombre qui se penchait. Il crut enfin entendre une respiration, comme si l'homme avait du mal à soulever la pierre, puis la dalle retomba, l'ombre rampa de nouveau vers les buissons, emportant le paquet. Mick descendit doucement de son arbre; il avait des souliers à semelles crêpe et ne faisait aucun bruit. Il écarquilla les yeux pour voir l'homme qu'il devrait suivre, mais il ne discerna toujours qu'une ombre; il lui emboîta le pas.

L'ombre s'éloignait du jardin, et tout à coup retentit le ululement de la chouette. Mick avait sursauté, mais ce n'était que le signal dont parlait le message. L'inconnu avait parfaitement imité l'oiseau de nuit. Comme il reprenait sa marche, Mick le suivit. Soudain, le petit garçon entendit des voix; mais il ne put malheureusement pas comprendre un mot. Un bruit sourd le fit sursauter, une vive lumière s'alluma. L'enfant recula jusqu'à la grille du jardin et se cacha. Une voiture s'approchait doucement. Mick fit de son mieux pour voir les occupants; il n'aperçut qu'un homme, le conducteur. Il n'y avait personne d'autre! Cela paraissait impossible! Quelqu'un avait pris le paquet et l'avait donné à l'automobiliste. Mick avait entendu deux voix. Qu'était donc devenu le premier personnage? S'il était resté là, Mick ferait bien de faire attention! L'auto avait maintenant dépassé la grille et s'éloignait sur la route qui longeait le jardin. Le bruit du moteur décrut. Mick ne pouvait évidemment pas suivre la voiture. Il retint sa respiration, terrifié à l'idée que l'un des individus était demeuré dans les parages.

Soudain, il entendit une petite toux et demeura immobile. Une ombre se dirigeait vers la maison des Mouettes et se perdit bientôt dans l'obscurité du parc. Mick s'élança à sa poursuite, traversa la pelouse, mais l'ombre s'était à nouveau cachée dans une haie.

Pourquoi le bandit revenait-il? Il s'était approché maintenant d'une fenêtre obscure. «Il va encore entrer dans la maison pour fouiller dans les papiers de l'oncle Henri, je suppose!» pensa Mick, rageusement. Il regarda attentivement la silhouette qui se découpait près de la fenêtre. Elle semblait très petite. Mick pouvait peut-être terrasser cet homme et appeler François de toutes ses forces.

«A notre tour de faire un prisonnier! pensa Mick. S'ils retiennent Claude comme otage, nous garderons l'un d'entre eux, nous aussi; œil pour œil, dent pour dent!» Il attendit encore un peu, puis bondit. La victime roula au sol avec un gémissement.

Mick était surpris de sa petite taille et aussi de sa défense farouche. Le bandit griffait, mordait, donnait des coups de pied!

«François! François! Au secours! François!»

François sortit immédiatement.

«Mick! Mick! Où es-tu, que se passe-t-il?»

Il posa sa lampe sur la pelouse, afin d'avoir les deux mains libres. Il venait de découvrir, en éclairant ce coin de parc, Mick qui terrassait quelqu'un.

Il ne leur fallut pas longtemps à tous deux pour venir à bout de leur adversaire qu'ils traînèrent, gémissant, jusqu'à la maison; soudain, Mick reconnut cette voix. Cela paraissait impossible! C'était Jo. Lorsque la gitane fut dans la maison, sanglotante, le corps couvert de coups et d'égratignures, traitant les garçons des noms les plus affreux qu'elle connaissait, ils la reconnurent bien! Annie et Maria arrivèrent toutes surprises; que s'était-il encore passé?

«Montez-la dans une chambre, dit François,

couchez-la, elle est en piteux état. Moi aussi, d'ailleurs.

— Je n'aurais jamais cru qu'elle fût si forte, dit Mick, une vraie tigresse.

— Je ne savais pas que c'était toi, Mick, je ne savais pas, sanglotait Jo. Tu as bondi sur moi et je me suis défendue.

— Tu es un chat sauvage, une bête féroce, une menteuse! répondit Mick, furieux. Tu as osé nous dire que tu ne savais rien de l'homme qui t'a donné ce message et tu étais sa complice! Tu as aidé ces gangsters!

— Ce n'est pas vrai! gémissait Jo.

— Ne mens pas encore une fois! cria Mick.

J'étais grimpé dans un arbre; j'ai vu quelqu'un prendre le paquet sous la dalle et le remettre à l'homme qui attendait dans une voiture. Je comprends maintenant : c'était toi! Tu es revenue ici pour voler autre chose, je suppose?»

Jo pleurait toujours.

«Non, non!

— Tu seras conduite à la police demain, décréta Mick.

— Je ne suis pas revenue pour voler! cria Jo. J'avais une autre raison.»

Ses yeux scintillaient, elle rejetait ses cheveux en arrière avec un mouvement d'orgueil.

«Tu es une menteuse! Comment te croire? Tu es venue pour faire du mal!

— Non, répondit-elle misérablement. Je suis revenue vous dire que je vous conduirai vers Claude, si vous ne le répétez pas; mon père me tuerait s'il l'apprenait. Je sais qui a pris le paquet. Je ne pouvais pas faire autrement que de l'aider. J'obéis à Manolo. Je suis revenue pour vous dire la vérité, et vous me battez!»

Quatre paires d'yeux observaient la gitane. Elle cacha son visage dans ses mains. Mick la força de nouveau à le regarder.

«Regarde-moi, dit-il, c'est très important et très grave pour nous. Sais-tu vraiment où se trouve Claude?»

Jo approuva.

«Est-ce que tu nous amèneras jusqu'à elle?» demanda François d'une voix très froide.

Et Jo répondit :

«Oui. Vous avez été très méchants, mais je vous montrerai que moi, je suis gentille. Vous retrouverez Claude.»

Chapitre 12

Jo commence
à parler

La pendule de l'entrée émit un son profond : dong !

« Une heure, dit Maria, une heure du matin ! Monsieur François, nous ne pouvons rien faire de plus ce soir. Puisque la gitane est ici, elle ne nous dérangera plus.

— Oui, vous avez raison, Maria, répondit François, il nous faut attendre demain pour agir. Quel malheur que le téléphone soit coupé ! Je voudrais bien appeler la gendarmerie ! »

Jo le regarda.

« Alors, je ne vous dirai pas où est Claude. Savez-vous ce que les gendarmes me feront ?

Ils me mettront dans un centre pour jeunes délinquants dont je ne pourrai jamais sortir. D'ailleurs, c'est la vérité, je suis une méchante fille mais je n'ai jamais eu de chance!

— Tout le monde a sa chance dans la vie, tôt ou tard, dit François gentiment. Tu auras la tienne. C'est bon, nous n'avertirons pas la police si tu nous promets de nous conduire jusqu'à Claude. »

La gitane promit. Maria la fit monter.

« Il y a un lit dans ma chambre, dit-elle à François. Elle peut y passer la nuit, mais je vais d'abord lui faire prendre un bain. Elle est trop sale. »

Une demi-heure plus tard, Jo était couchée dans la chambre de Maria, parfaitement propre, mais marquée de bleus et d'égratignures : ses cheveux avaient été brossés, un plateau avec du lait chaud et du pain était déposé à côté du lit.

Maria appela :

« Monsieur François! Jo est dans son lit, elle veut vous dire quelque chose, ainsi qu'à M. Mick. »

Mick et François enfilèrent leur robe de chambre et entrèrent dans la pièce. Ils furent stupéfaits en voyant la gitane toute propre dans une chemise appartenant à Annie. Son petit visage était pathétique, mais en voyant les deux garçons elle sourit :

« Que voulais-tu nous dire? demanda François.

— Je me sens bonne maintenant, mais peut-être que demain je serai de nouveau méchante. Alors, je veux parler tout de suite.

— Nous t'écoutons, répondit François.

— C'est moi qui ai fait entrer les hommes ici la première nuit », dit-elle.

Tout en parlant, elle trempait son pain dans le lait chaud.

« Voilà la vérité : je suis entrée par cette petite fenêtre qu'on ne ferme jamais, puis je suis allée ouvrir la porte, j'ai regardé ce que faisaient les voleurs dans le bureau ; ils ont pris beaucoup de papiers.

— C'est impossible ! Tu n'as pas pu entrer par cette petite fenêtre, dit Mick.

— Mais si, répondit Jo, je suis passée par des ouvertures beaucoup plus petites que ça. »

François soupira.

« Bien, continue ! Je suppose que, lorsque les bandits sont partis, tu as fermé la porte de la cuisine et que tu es ressortie par la fenêtre de l'office.

— Oui, répondit Jo, le nez dans son bol de lait.

— Et Dagobert ? Qui l'a drogué pour qu'il dorme toute la nuit ?

— C'est moi. C'était facile aussi ! »

Les deux garçons se regardèrent avec horreur !

« Nous avions lié amitié, Dago et moi, sur la plage. Vous ne vous rappelez pas ? Claude était furieuse. J'aime les chiens, nous en avions des douzaines avant la mort de maman. Papa m'avait ordonné d'apprivoiser Dagobert, afin de pouvoir lui donner facilement un morceau de viande dans la nuit, sans qu'il aboie.

— En effet, c'était facile, dit Mick avec amertume. Dagobert est sorti seul et il est tombé entre tes mains.

91

— Il était content de me voir, je l'ai fait gambader un peu derrière moi en lui faisant sentir la viande et, lorsque je la lui ai donnée, il l'a mangée avec plaisir.

— Et il a dormi toute la nuit pour que tes bons amis puissent dévaliser la maison ! riposta François. N'as-tu pas honte ?

— Je ne sais pas, murmura Jo, qui ignorait ce que le mot « honte » voulait dire. Est-ce que je dois m'arrêter de parler ?

— Non, continue, ordonna Mick. Est-ce que tu as joué un rôle dans l'enlèvement de Claude ?

— Je devais juste imiter le cri de la chouette lorsque Claude et Dagobert apparaîtraient. Les hommes attendaient, ils se préparaient à jeter un sac de toile sur la tête de la petite fille ;

ils devaient faire la même chose au chien après l'avoir assommé! C'est ce qu'ils m'avaient expliqué; je n'ai rien vu, car j'ai dû revenir en rampant et fermer la porte afin que personne ne s'aperçoive, jusqu'au lendemain, de l'absence de Claude.

— Nous avons cru qu'elle s'était levée tôt, grogna Mick. Nous avons été bien naïfs! La seule chose intelligente que nous avons voulu faire ensuite était de suivre la personne qui s'emparerait du paquet.

— C'était moi, répondit Jo. De toute façon, je revenais pour vous dire l'endroit où se trouve Claude. Ce n'est pas parce que je l'aime, elle est méchante et laide! Je ne l'aime pas!

— Charmante nature! s'exclama François. Que faire d'une fille pareille? Mais pourquoi t'es-tu décidée à venir nous chercher, Jo?

— Je n'aime pas Claude, mais j'aime Mick! répondit Jo. Il a été gentil avec moi, alors je voulais lui faire plaisir. Ça ne m'arrive pas souvent, ajouta-t-elle, je voulais qu'il m'aime...»

Mick la regarda.

«Je t'aimerai si tu nous amènes jusqu'à Claude, pas avant!

— Je vous conduirai demain, dit Jo.

— Où est Claude?» demanda François durement.

Demain la gitane changerait peut-être d'humeur. Mieux valait la faire parler ce soir...

Elle hésita, regarda Mick.

«Tu serais bien gentille de nous le dire», murmura le garçon d'une voix très douce.

La petite gitane ne savait pas résister à la tendresse.

«Bien, murmura-t-elle, je vous ai dit que mon père était parti en me laissant à Manolo. Papa ne m'a rien expliqué.... Il a enfermé Claude et Dagobert dans notre roulotte, attelé Sultan, notre cheval, et s'en est allé avec eux. Manolo m'a tout raconté. Je sais où ils sont, je connais leur cachette.

— Où? demanda François, étonné par d'aussi étranges révélations.

— Au milieu de la forêt de Courcy, répondit Jo. Je vous y conduirai, je ne peux pas vous en dire davantage maintenant.»

Elle observait les garçons d'un regard triste coulé entre ses longs cils. Mick pensait qu'elle avait dit la vérité. Il avait pitié d'elle, mais admirait son courage.

«Je suis désolé de m'être battu avec toi», dit-il en l'embrassant sur la joue.

La gitane le regarda comme une esclave regarde un prince.

«Cela m'est égal, dit-elle, je ferai n'importe quoi pour toi; tu es bon.»

Maria frappa impatiemment à la porte.

«Etes-vous prêts, les garçons? Je veux me coucher; Jo va dormir. Sortez vite de la chambre!»

Les garçons ouvrirent la porte, Maria vit une expression de gravité sur leurs visages, elle comprit que Jo leur avait fait une révélation très importante.

«Et maintenant, dors vite, ma petite fille. Si je t'entends bouger cette nuit, gare à toi!»

ajouta-t-elle avec rudesse, mais sans méchanceté.

Jo obéit. Le lit était moelleux, les draps frais et doux, elle se sentait bien.

«Deux heures du matin, murmura la cuisinière, je ne me réveillerai jamais assez tôt pour dire au laitier que je veux davantage de lait.»

François demeura éveillé très tard. Il était inquiet en pensant à la pauvre Claude! Etait-elle en sécurité? La gitane les conduirait-elle vers la roulotte? Ou les mènerait-elle dans la gueule du loup? Il l'ignorait encore...

Chapitre 13

A la recherche
de Claude

Maria fut la
seule à se réveiller
de bonne heure le
lendemain matin.
Il était pourtant
trop tard pour rattraper le laitier. Elle descendit en courant les escaliers, noua son tablier
autour de sa taille.

« Sept heures et demie, est-ce une heure
pour se réveiller ! » s'exclama-t-elle.

Elle commença à allumer le feu. Elle ne
pouvait s'empêcher de penser à la nuit passée. Quelle étrange soirée : le jeune Jeannot
qui remerciait, la bataille entre Mick et Jo,
l'extraordinaire récit de la petite gitane. En
s'éveillant le matin, la cuisinière avait tout
d'abord pensé que Jo s'était enfuie. Mais non !
Elle était dans son lit, roulée en boule comme
un petit chat, son visage brun posé sur sa main
bronzée. Ses cheveux, pour une fois brillants,
tombaient en boucles soyeuses sur ses yeux

clos. Elle n'avait pas entendu Maria se lever, faire sa toilette et s'habiller.

Les autres avaient bien dormi aussi. François s'éveilla le premier, mais il était déjà huit heures. Il se souvint immédiatement des événements de la veille et bondit hors de son lit.

Il courut dans la chambre de Maria. Mais il l'entendit en bas : elle parlait seule comme à l'ordinaire. Le jeune garçon fut tout content de voir que la gitane était encore là. Il s'approcha du lit, la secoua gentiment. Elle se retourna et enfouit son visage dans l'oreiller. François la secoua alors un peu plus vigoureusement. Il fallait qu'elle se levât et qu'elle les conduisît à l'endroit où se trouvait Claude, le plus vite possible.

A huit heures et demie, les enfants étaient tous réunis autour de la table pour le petit déjeuner. Jo restait avec la cuisinière. On entendait celle-ci gronder un peu la petite fille.

« Pourquoi manges-tu si vite, comme si le chien allait te prendre tes tartines ? Qui t'a appris à tremper tes doigts dans le pot de confiture et à les sucer ensuite ? J'ai des yeux derrière la tête, je vois tout ce que tu fais. »

Jo aimait Maria. Elle se sentait à l'aise avec elle et se disait que, si elle était gentille avec la cuisinière, elle serait toujours bien nourrie. La servante cachait sa bonté sous des dehors bourrus. Personne n'avait jamais eu peur d'elle. La gitane la suivit donc comme un petit chien, dès qu'elle eut fini son déjeuner.

François entra dans la cuisine à neuf heures.

« Où est Jo ? demanda-t-il. Ah ! tu es là. Veux-tu nous expliquer où se trouve la roulotte de ton père? Es-tu certaine de connaître le chemin?»

Jo éclata de rire.

«Naturellement, je connais toute la région.

— Parfait», dit François; il déplia une carte sur la table de la cuisine et posa son doigt sur un point.

«Voici la villa des Mouettes, expliqua-t-il: là se trouve une forêt appelée la forêt de Courcy. Quel chemin vas-tu prendre? Celui-ci ou celui-là?»

Jo regarda la carte sans comprendre.

«Eh bien? demanda François impatient, est-ce bien la forêt dont tu parlais?

— Je ne sais pas, répondit Jo timidement. Dans celle dont je parle, il y a de vrais arbres.»

Maria rit.

«Monsieur François, cette petite n'a sûrement jamais vu une carte de sa vie; elle ne sait même pas lire.

— Elle ne sait pas lire! s'exclama François étonné. Elle ne sait sans doute pas non plus écrire?»

Jo secoua la tête.

«Maman a essayé de m'apprendre à lire, dit-elle, mais elle n'était pas très savante. A quoi ça sert? C'est plus utile de savoir attraper des lapins ou pêcher du poisson!»

François plia la carte d'un air pensif. Comment faire confiance à Jo? Sur un certain plan elle était très ignorante et sur d'autres elle paraissait connaître parfaitement la vie.

«N'ayez pas peur, dit Maria. Les gitans ont du flair!

— Tu ne renifles tout de même pas ton

chemin comme un chien? demanda naïvement Annie qui venait d'entrer.

— Non, répondit Jo, je sais où il faut passer, c'est tout; mais je ne prends pas la route, je choisis toujours un raccourci, vous comprenez?

— Comment sais-tu qu'il s'agit d'un raccourci?» demanda la petite fille.

La gitane haussa les épaules; tout cela lui paraissait mortellement ennuyeux.

«Où est l'autre garçon? demanda-t-elle. Il ne vient pas? Je veux le voir.

— Elle aime vraiment beaucoup Mick! s'écria Maria. Le voilà, ton Mick!

— Bonjour, Jo! s'exclama le garçon en entrant. Tu es prête à nous conduire?

— Il vaudrait peut-être mieux partir ce soir, quand il fera plus sombre, suggéra Jo.

— Non, nous voulons partir *tout de suite!* dit Mick.

— Si papa nous voit arriver, il sera furieux, répéta Jo avec obstination.

— Très bien, riposta Mick en regardant François, nous irons donc par nos propres moyens, nous avons trouvé "le Bois enchanté" sur la carte, ce n'est guère difficile de nous y rendre.

— Oh! se moqua la gitane, vous pouvez naturellement atteindre la forêt, mais elle est si grande que vous ne trouverez jamais la cachette! Si papa a vraiment décidé que personne ne retrouverait Claude, il la gardera prisonnière au milieu des fourrés dans un endroit inaccessible; vous ne pouvez pas y aller sans moi.

— Bon, nous avertirons donc les gendarmes, dit François calmement. Ils nous aideront à fouiller le bois jusqu'à ce que nous retrouvions Claude.

— Non! hurla Jo. Vous m'avez promis de ne pas faire cela.

— Tu as promis, toi aussi; nous avions fait un pacte, mais je vois qu'on ne peut croire ta parole, et puisque tu ne veux plus partir ce matin, je vais donc me rendre à la gendarmerie.»

Au moment où il sortait de la pièce, la gitane se jeta contre lui et lui barra le chemin.

«Non! non! je vous emmènerai, je tiendrai ma promesse : mais il vaudrait mieux y aller la nuit.

— Nous ne pouvons plus attendre, répondit durement François en repoussant la gitane. Viens avec nous *maintenant*!

— Bien, accepta Jo.

— Si nous lui donnions un autre short?» suggéra Annie, en découvrant tout à coup un trou énorme dans celui de la petite fille. «Elle ne peut pas sortir comme ça. Regarde. Son pull-over est plein de trous aussi!»

Les garçons regardèrent la gitane.

«J'aimerais mieux, en effet, qu'elle ait des vêtements propres, dit la cuisinière, j'ai lavé dernièrement un vieux jean qui appartient à Claude, elle pourrait le mettre : il y a aussi des chemises fraîchement repassées.»

Cinq minutes plus tard, la gitane réapparut toute propre. Elle portait exactement la même chemise qu'Annie.

«Elle ressemble terriblement à Claude, dit

Annie en riant; elles pourraient être sœurs!

— Frères, veux-tu dire!» corrigea Mick.

La gitane fit la grimace.

«Elle fait exactement la même grimace que notre cousine!» s'exclama Annie.

Alors, Jo lui tourna le dos. Elle n'aimait pas du tout Claude et ne se souciait guère de lui ressembler.

«Que tu es laide quand tu fais des grimaces! gronda Maria. Méfie-toi, si le vent tourne à ce moment-là, tu resteras laide pour toute ta vie.

— En avant! dit François impatient. Jo, tu m'entends? Conduis-nous dans la forêt.

— Manolo peut nous voir...», murmura Jo.

Elle avait décidé de partir le plus tard possible.

«Eh bien, tant pis! répondit François. Tu n'as qu'à marcher très loin devant nous et nous te suivrons. Manolo ne pourra pas savoir que tu nous conduis quelque part.»

Enfin, ils partirent. Maria leur avait donné quelques provisions dans un sac que François mit sur son dos. Jo sortit par la porte de derrière, et courut jusqu'à la grille du jardin. Les autres l'observaient de loin.

«Suivons-la bien, dit François, c'est une petite sorcière, je ne serais pas étonné si elle essayait de nous fausser compagnie.»

Jo gambadait loin devant eux, dans le soleil.

Et soudain quelqu'un jaillit d'une haie, s'arrêta devant Jo et lui parla. Elle cria et essaya de s'enfuir, mais l'homme la saisit par les épaules et la poussa durement dans les buissons.

«C'est Manolo, dit Mick, j'en suis sûr! Il l'attendait. Maintenant, qu'allons-nous faire?»

Chapitre 14

La roulotte d'Antonio

Ils coururent tous vers l'endroit où Manolo avait poussé la gitane. Mais ils ne trouvèrent absolument rien ; seules quelques branches cassées révélaient le passage de l'homme et de la petite fille. Pas de Manolo, pas de Jo, aucun bruit. Ni pleurs ni cris. Les deux personnages s'étaient évanouis comme des fantômes. Mick fouilla la haie, explora le champ qui se trouvait derrière ; quelques vaches le regardèrent avec surprise.

« Il y a un petit boqueteau au bout du champ, je vais voir ! » s'écria Mick.

Il traversa la prairie en courant vers les buissons ; il ne dérangea qu'une famille de lapins.

Au-delà du pré, il découvrit quelques habitations.

«Je suppose que Manolo a emmené la petite fille dans l'une ou l'autre de ces maisons, pensa-t-il rageusement. Il habite probablement là, il ne la laissera sûrement plus partir! Pauvre Jo!»

Il retourna vers les autres.

«Nous ferions mieux d'appeler la police maintenant! supplia Annie.

— Non. Allons jusqu'à la forêt. Nous savons que la roulotte est cachée là; nous ne trouverons pas le raccourci, mais nous irons par la route, en suivant la carte, dit Mick.

— D'accord, partons! Dépêchons-nous!» répondit François.

Ils marchaient maintenant sur la route goudronnée. Un car apparut en sens inverse.

«Si nous voyons au prochain arrêt un car en direction de la forêt de Courcy, nous le prendrons. Cela gagnera du temps. Il faut nous dépêcher, car Manolo ira sans doute prévenir le père de Jo. A moins que Jo ne l'ait déjà fait elle-même! Cette fille est une vraie vipère!

— Je la déteste, répétait Annie, presque en larmes. Je ne crois pas un mot de ce qu'elle raconte! Et toi, Mick?

— Je n'en sais rien, répondit Mick. Je me demande encore si elle est franche ou menteuse; à certains moments, elle semble bonne; hier au soir, par exemple, elle est revenue nous prévenir...

— Je ne crois pas qu'elle soit vraiment revenue pour nous prévenir. Elle venait encore commettre quelques méfaits lorsque nous l'avons surprise, répliqua Annie.

« — Tu as peut-être raison, Annie, convint Mick. Regardez! Un arrêt d'autobus; l'horaire est indiqué. »

Un autobus conduisait vers «le Bois enchanté». Il passerait dans cinq minutes. Les enfants s'assirent et attendirent. L'autocar fut très ponctuel; il arriva empli de femmes qui se rendaient au marché. Elles portaient d'énormes paniers et ne laissaient guère de place aux nouveaux arrivants.

Tous les passagers descendirent à Ravet. François demanda le chemin de la forêt de Courcy.

« Par là, dit le chauffeur. Tâchez de ne pas vous perdre et méfiez-vous des gitans; la forêt en est pleine. »

François remercia, puis ils se dirigèrent tous les trois vers les bois.

« Quelle belle forêt! murmura Annie. Ces arbres sont splendides... »

Après avoir beaucoup marché, ils arrivèrent dans une clairière, où il y avait un campement de romanichels : autour de trois roulottes, des enfants gitans jouaient. François regarda les roulottes dont les portes étaient ouvertes.

« Claude n'a pas l'air d'être là, dit-il tout bas aux autres, je voudrais bien savoir où elle est! Prenons ce sentier...

— Demandons d'abord si quelqu'un connaît la roulotte de Jo, suggéra Annie.

— Nous ne savons même pas le nom du père! répondit François.

— Nous pouvons préciser que la roulotte est tirée par un cheval appelé Sultan et nous pouvons décrire Jo.

— Tu as raison, Annie. »

François s'approcha d'une vieille femme qui était en train de faire la cuisine sur un feu de bois. Penchée au-dessus des flammes, elle ressemblait à une vieille sorcière. Elle leva la tête, rejeta les mèches de cheveux gris qui tombaient sur ses yeux et regarda François.

«Pouvez-vous me dire s'il y a, dans le bois, une roulotte tirée par un cheval appelé Sultan? demanda poliment le garçon; une petite fille nommée Jo y habite avec son père; nous voudrions la voir.»

La vieille femme grommela :

«Antonio est parti par là-bas. Je n'ai pas vu Jo, mais la porte de la roulotte était fermée, elle était peut-être à l'intérieur. Qu'est-ce que vous lui voulez?

— Oh! seulement la voir... répondit François. Antonio, c'est son père?»

La vieille femme fit signe que «oui» et recommença à s'occuper de sa soupe. François se retourna vers les autres.

«Par ici!» cria-t-il.

Ils s'enfoncèrent dans un sentier étroit. Les branches des arbres qui se rejoignaient, en formant une voûte, ne laissaient pas filtrer les rayons du soleil.

«Quelle étrange vie mènent ces gitans! Habiter une roulotte. S'enfoncer dans ces bois touffus! Dormir n'importe où !» dit Annie.

Par endroits, les arbres étaient si rapprochés, qu'il semblait impossible qu'une voiture ait pu passer par là; pourtant la terre gardait encore des traces de roues.

La forêt devenait de plus en plus épaisse, de

plus en plus obscure. Les enfants suivaient les deux ornières laissées par la roulotte. Çà et là, des branches cassées prouvaient que le voyage n'avait pas été facile.

«Antonio a été se cacher bien loin!» s'exclama François.

Les enfants avançaient sur une piste de plus en plus difficile. Ils demeuraient silencieux. Le bois était tranquille, aucun oiseau ne chantait dans les hautes branches.

«J'aimerais que Dagobert soit avec nous», murmura Annie qui commençait à avoir peur.

François approuva; il y pensait depuis un long moment; il s'inquiétait pour Annie, si sensible et si craintive. Quel dommage que Jo ne les ait pas accompagnés!

«Il nous faut être très prudents, dit-il enfin d'une voix basse, nous allons peut-être découvrir la roulotte au moment où nous ne nous y attendrons pas; il est inutile qu'Antonio nous entende approcher.

— Je vais marcher en avant, proposa Mick, je vous avertirai si j'entends ou je vois quelque chose.»

Il partit. François réfléchissait. Que feraient-ils lorsqu'ils verraient la roulotte? Claude et

Dagobert étaient sûrement enfermés à l'intérieur.

«Si nous pouvons seulement ouvrir la porte, Dago se chargera du reste, pensa-t-il, il est aussi fort que trois gendarmes!»

Mick s'arrêta brusquement et leva la main pour avertir les autres; il était caché derrière un arbre.

«Il a aperçu la roulotte», murmura Annie. Son cœur battait à se rompre.

«Ne bouge pas de là!» lui dit son frère et il marcha doucement vers Mick.

La petite fille se cacha dans un buisson. Elle détestait ce bois sombre et silencieux. Elle frissonnait en observant les deux garçons.

Mick avait découvert la roulotte. Elle était petite, sale et semblait déserte. On ne voyait pas Antonio, ni Sultan, le cheval. Les fenêtres et la porte étaient fermées.

Les garçons observaient attentivement la voiture. Ils n'osaient ni bouger, ni parler.

«Mick, murmura François, Antonio n'est sûrement pas là. C'est une chance. Nous allons ramper jusqu'à la voiture et regarder par la fenêtre : nous attirerons l'attention de Claude et nous la ferons sortir aussi vite que nous pourrons, ainsi que Dagobert.

— C'est curieux qu'il n'ait pas aboyé! s'étonna Mick. Il ne nous a sans doute pas entendus. Bon, on y va?»

Ils rampèrent en se cachant derrière les buissons, puis François frappa doucement à la fenêtre. Il faisait trop sombre à l'intérieur, on ne distinguait rien.

«Claude, murmura-t-il, Claude, es-tu là?»

Chapitre 15

Annie n'aime pas l'aventure

Mick et François attendirent. Aucune réponse ne leur parvint. Claude dormait-elle? On lui avait peut-être donné, à elle aussi, un somnifère, comme à Dagobert. François était désespéré; à la seule idée que Claude pût être maltraitée, il frissonnait d'horreur. Il essaya de nouveau de scruter l'intérieur de la roulotte, mais la vitre était si sale et il faisait si sombre, qu'il ne put rien distinguer.

«Si nous frappions à la porte? suggéra Mick.

— Non, cela fera revenir Antonio, s'il est aux alentours! Si Claude est à l'intérieur et réveillée, nos voix attireront son attention.»

Ils contournèrent la voiture jusqu'à la porte; il n'y avait pas de clef dans la serrure; Antonio avait dû l'emporter avec lui. François monta les quelques marches et essaya de pousser le battant ; il résistait. François frappa doucement : toc, toc, toc... Aucune réponse ; c'était étrange ! Il essaya de nouveau de tourner la poignée qui lui avait d'abord paru très dure, et fut tout surpris : la porte s'ouvrit.

« Mick, ce n'est pas fermé ! » s'écria-t-il, oubliant de parler à voix basse.

Il entra dans la roulotte obscure, espérant trouver Claude ou Dagobert. Mick le suivit. Une odeur d'humidité régnait à l'intérieur. Il n'y avait personne. François grogna :

« Nous avons fait tout ce chemin pour rien ! Ils ont emmené Claude ailleurs, et nous ne savons pas où ! »

Mick sortit sa lampe électrique de sa poche. Claude avait peut-être laissé un message, une indication quelconque ? Non, on ne voyait rien, aucune trace.

« Jo a dû inventer toute cette histoire ! » soupira Mick.

Sa lampe éclaira la paroi de bois. Quelques mots y avaient été griffonnés au crayon. Mick regarda de plus près.

« On dirait l'écriture de Claude ! s'écria-t-il. François, qu'est-ce que tu en penses ? »

Les deux garçons se penchèrent sur l'inscription.

« *Mesnil-le-Rouge* », lut François.

Plus loin, d'une écriture plus petite, les mêmes mots étaient répétés.

« Qu'est-ce que cela veut dire ? demanda Mick. Et d'abord, est-ce bien l'écriture de notre cousine ?

— Oui, je crois, répondit François. Mais pourquoi a-t-elle gribouillé cela? Elle a peut-être entendu prononcer ces mots alors qu'on l'emmenait ailleurs, et elle les a notés à la hâte, pour le cas où nous arriverions jusqu'ici... C'est sûrement cela. Qu'en penses-tu?

— Je ne connais aucun pays dans les environs qui s'appelle Mesnil-le-Rouge, dit Mick. Je crois que nous ferions mieux de rentrer et d'aviser la police. »

Déçus, les garçons revinrent vers Annie. Elle surgit de son buisson.

« Claude n'est pas là, lui annonça Mick, mais elle a laissé un message sur la paroi de la roulotte.

— Pour dire quoi?

— Pour dire où on l'avait emmenée, sans doute. Mesnil-le-Rouge, tu connais?

— Non.... Vous êtes sûrs que c'est bien elle qui a écrit cela?

— Certains. J'ai bien reconnu son *M* et son *g*. Et maintenant, allons avertir les gendarmes. Nous avons déjà perdu beaucoup de temps.

— Si nous mangions un peu? proposa François. Cela nous remettrait d'aplomb. »

Mais ils avaient tous la gorge serrée; Annie se sentait trop fatiguée pour manger; quant à Mick, il marchait très vite et semblait n'avoir aucune envie de défaire le paquet de sandwiches. Ils reprirent leur chemin entre les arbres. Le ciel s'était obscurci et, soudain, de grosses gouttes de pluie s'écrasèrent avec un bruit mat sur la terre sèche. Au loin, le tonnerre grondait.

Annie s'accrocha au bras de François.

111

« François, c'est dangereux d'être dans un bois lorsqu'il fait de l'orage, nous allons être foudroyés !

— Mais non, répondit son grand frère, ce qui est dangereux, c'est d'être sous un arbre isolé ; mais regarde, il y a une petite clairière ; nous allons y aller, si tu veux. »

Lorsqu'ils arrivèrent dans la clairière, l'averse était si forte qu'ils durent à nouveau s'abriter sous les branches. Ils attendirent que l'orage s'éloignât.

Bientôt, la pluie cessa.

« Je déteste ces bois, dit Mick, sortant des buissons, partons ! » Et il prit à nouveau la tête de file.

François l'appela.

« Attends, Mick ! Es-tu sûr que ce soit le bon chemin ? »

Mick s'arrêta, un peu inquiet.

« Je pensais... tu ne crois pas ?

— Il me semblait, répondit François, que nous devions tourner sur la droite, après la petite clairière.

— Nous ne sommes pas dans la même clairière, affirma Annie. Dans l'autre, il y avait sur la droite un arbre abattu dans l'herbe.

— Zut ! s'exclama François. Eh bien, essayons un autre chemin. »

Ils se dirigèrent vers la gauche et se retrouvèrent bientôt dans la partie la plus touffue de la forêt.

François était furieux contre lui-même ; quelle folie d'avoir quitté l'unique sentier qu'ils connaissaient, sans prendre le moindre point de repère ! Ils ne pouvaient même pas se diriger avec le soleil. Le garçon regarda son frère et celui-ci lut une angoisse dans ses yeux.

« Que faire ? demanda Mick. Nous n'allons pas rester là immobiles pendant des heures !

— Nous nous enfonçons de plus en plus profondément », murmura Annie effrayée.

François la rassura.

« Eh bien, nous ressortirons donc de l'autre côté, dit-il. Ce n'est pas une forêt sans fin, tu sais ! »

Il lui cachait la vérité ; en effet, il pensait : « Nous sommes probablement en train de tourner en rond comme font les hommes égarés dans le désert » ; il se reprochait à lui-même d'avoir quitté le sentier où l'on pouvait au moins suivre des traces de roues.

Ils marchèrent environ pendant deux ou trois heures, puis Annie s'effondra.

« Je ne peux pas aller plus loin, sanglota-t-elle, je voudrais me reposer ! »

Mick regarda sa montre. Le temps passait terriblement vite, il était presque trois heures. Il s'assit à côté de sa sœur et lui dit gentiment :

« Nous avons besoin d'un bon repas, nous n'avons rien mangé depuis huit heures du matin. »

Annie prétendit qu'elle n'avait pas faim, mais lorsqu'elle vit le saucisson et le pain beurré, elle changea d'avis. Ils déjeunèrent tous les trois et se sentirent aussitôt mieux.

« Il n'y a rien à boire, malheureusement, dit Mick, mais il y a des oranges. »

Ils mangèrent tout ce qu'il y avait dans leur sac. François se demandait s'ils n'auraient pas dû garder quelques provisions. Dieu sait combien de temps ils allaient rester dans ce bois! Maria serait sans doute inquiète et alerterait la police qui partirait à leur recherche. Mais dans combien de temps les retrouverait-on?

Après le repas, Annie s'endormit. Les garçons bavardaient doucement.

«Cette histoire est épouvantable, dit Mick. Nous sommes partis pour trouver Claude et nous nous sommes perdus. D'habitude, nous sommes plus débrouillards!

— Si nous ne trouvons pas d'issue avant la nuit, il faudra arranger un lit à l'abri d'un buisson.»

Lorsque Annie se réveilla, ils repartirent d'un bon pas.

Mais lorsque la nuit tomba, ils n'avaient toujours pas retrouvé leur chemin; ils appelèrent en vain; personne ne les entendait. Alors, ils décidèrent de s'installer pour dormir. Heureusement, il ne faisait pas froid et le sol était de nouveau sec.

«Dormons tranquillement, dit Mick, nous nous sentirons beaucoup mieux demain matin. Reste bien contre moi, Annie, tu auras plus chaud. Voilà, parfait! François se mettra de l'autre côté. Nous vivons une nouvelle aventure, tu vois!

— Je déteste les aventures», dit Annie d'une toute petite voix. Elle sombra bientôt dans le sommeil.

Chapitre 16

Un visiteur
dans la nuit

François et Mick tardèrent à s'endormir. Ils étaient tous deux très inquiets, pour Claude et pour eux-mêmes.

Mick, le premier, céda au sommeil. François veillait sur Annie. Il n'avait pas très chaud et il craignait que sa sœur prît froid.

Il entendait le murmure du vent dans les feuilles. Puis il perçut un léger bruit... Y avait-il un animal dans le fourré ? Soudain, il frissonna. Il avait été effleuré par le vol rapide d'un oiseau. Une chauve-souris ? Quelle horreur ! Puis, ce fut pire encore : il eut l'impression qu'un insecte marchait sur sa tête. Une araignée probablement ; elle avait le temps de tisser une toile autour de ses cheveux, car il ne bougeait pas dans la crainte de réveiller sa petite sœur! Enfin, François ferma les yeux et quelques instants plus tard, il rêvait déjà.

Tout à coup il se réveilla. Il avait entendu très distinctement le cri de la chouette. «Zut, pensa-t-il, je ne vais plus pouvoir me rendormir.» Il tourna légèrement la tête; de nouveau l'oiseau cria. «Pourvu qu'Annie ne se réveille pas!» Elle grognait un peu dans son rêve.

Le pauvre François ne pourrait décidément pas se reposer. Il venait d'entendre un autre bruit! On aurait dit qu'un animal rampait dans les taillis.

Malgré lui, et bien qu'il fût un garçon courageux, il se sentit envahi par la peur. Il n'y avait heureusement pas de loups dans le pays. Etait-ce un sanglier? Un blaireau? Il écouta. Le bruit se rapprochait de plus en plus. Et soudain, il sentit une haleine chaude contre son oreille. Il s'écarta avec horreur. Il étendit la main, et ses doigts rencontrèrent une chevelure. En hâte, il chercha sa lampe électrique, mais, avant même qu'il ait pu l'atteindre, une main s'empara de sa main, et il eut la plus grande surprise de sa vie. Cet étrange animal parlait :

«François, dit la voix, c'est moi!»

Les doigts tremblants, le garçon alluma enfin la lampe. Un petit visage encadré de cheveux hirsutes apparut dans l'ombre.

«Jo! s'exclama François, Jo! Que fais-tu là? Tu m'as fait peur! Je pensais que c'était une horrible bête, avec une tête couverte de cheveux!

— C'est ma tête que tu touchais », murmura Jo, qui ne pouvait s'empêcher de rire.

Annie et Mick se réveillèrent, se frottèrent les yeux tant ils étaient étonnés. Jo en pleine nuit dans la forêt!

« Cela vous surprend de me voir, n'est-ce pas? demanda-t-elle. Manolo m'avait attrapée, mais il ignorait que vous me suiviez. Il m'a enfermée dans sa maison. Il jurait de tout dire à mon père!

— Et que t'est-il arrivé? demanda Mick, le cœur plein de pitié.

— Rien de grave, répondit la gitane, j'ai cassé la vitre de la fenêtre et je suis sortie! Je déteste ce Manolo, je ne lui obéirai plus jamais. M'enfermer! Il n'y a rien qui me fasse plus horreur que d'être prisonnière!

— Mais comment as-tu pu nous retrouver? interrogea François.

— Tout d'abord, je me suis rendue à la roulotte d'une tribu amie; la vieille maman Dolorès m'a dit que vous lui aviez demandé votre chemin : j'ai donc suivi le sentier jusqu'à la voiture de mon père. Mais là, je n'ai trouvé personne, pas même Claude.

— Sais-tu où est Claude? demanda Annie.

« — Non, je ne sais pas. Papa a dû l'emmener ailleurs. Il l'a sans doute forcée à monter Sultan, car le cheval n'était pas là non plus.

— Et Dagobert ?» demanda Mick.

Jo regardait au loin...

« Je me demande ce qu'ils en ont fait... », dit-elle.

Cette phrase fut suivie d'un long silence. Les enfants pensaient avec tristesse au sort du pauvre chien fidèle.

« Mais comment es-tu arrivée jusqu'à nous en pleine nuit ? demanda François.

— Ce n'était pas difficile, répondit la gitane, je peux suivre la trace de n'importe qui, grâce à mon flair. Mais il faisait noir et puis il me semble que vous avez tourné en rond !

— C'est vrai, dit Mick. Tu as fait tous les détours que nous avions faits nous-mêmes ?

— Oui, avoua Jo. J'étais très fatiguée. Pourquoi avez-vous quitté le chemin où l'on voyait les traces de roues ?»

François lui expliqua.

« Vous n'avez pas l'habitude, répondit la petite sauvage. Lorsqu'on marche dans un bois et que l'on sort du sentier, il faut laisser des marques dans l'écorce des arbres, çà et là, afin de retrouver le chemin du retour.

— Nous étions perdus », soupira Annie.

Elle prit la petite main de Jo et la serra bien fort entre les siennes. Elle était si contente de la voir ! Maintenant ils allaient pouvoir sortir de cette triste forêt.

Jo était surprise et émue, mais elle retira tout de suite sa main. Elle n'aimait que Mick. Il était son héros, quelqu'un de « pas comme les autres ». Il avait été si bon avec elle et elle était si heureuse de le connaître!

« Nous avons trouvé des mots écrits sur la paroi intérieure de la roulotte, expliqua François. Le nom de l'endroit où Claude a été emmenée : Mesnil-le-Rouge, est-ce que cela te dit quelque chose?

— Il n'y a aucun endroit appelé Mesnil-le-Rouge! répondit Jo.

— Ne sois pas sotte, répliqua Mick. Tu ne peux pas connaître tous les villages de la région. Les gendarmes nous aideront. »

Jo eut un mouvement d'effroi.

« Vous m'aviez promis de ne rien dire aux gendarmes.

— Oui, nous avions fait cette promesse, mais seulement si tu nous amenais vers Claude, contesta Mick, et tu ne l'as pas fait. Si tu nous avais conduits immédiatement jusqu'à la roulotte sans perdre de temps, nous aurions retrouvé notre cousine. Maintenant, nous n'avons qu'un recours : appeler la police.

— Claude a écrit "Mesnil-le-Rouge"? demanda Jo. Eh bien, je peux vous emmener jusqu'à Claude.

— Comment? Tu viens de nous dire qu'il n'y avait aucun endroit de ce nom! dit François exaspéré. Je ne crois pas un mot de ce que tu racontes, Jo. Je pense même que tu travailles contre nous, que tu es l'alliée de ce bandit!

— Non, non! cria Jo. Ce n'est pas vrai. Je vous ai dit que Mesnil-le-Rouge n'était pas un endroit. Mesnil-le-Rouge, c'est un homme. »

Cette phrase fut suivie d'un silence profond.

Un homme! Personne n'avait pensé à cette possibilité.

La gitane sembla assez contente de son effet de surprise.

«Il s'appelle Mesnil et il a les cheveux roux, dit-elle. Voilà toute l'explication.

— Tu es en train d'inventer une nouvelle histoire! s'exclama Mick. Tu nous en as déjà tellement raconté!...»

Le visage de la gitane se renfrogna.

«Je m'en vais, dit-elle. Débrouillez-vous tout seuls, vous êtes trop méchants. Vous ne me croyez jamais.»

Elle s'enfuit, mais François eut vite fait de la rattraper.

«Non, tu vas rester avec nous maintenant, gronda-t-il, même si je dois t'attacher toute la nuit. Tu vois, nous n'avons pas tout à fait confiance en toi, mais c'est ta faute. Allons, raconte-nous ce que tu sais de ce Mesnil-le-Rouge; mène-nous à l'endroit où il habite, et nous te croirons désormais.

— Mick me croira-t-il aussi? demanda Jo, qui essayait d'échapper à la solide poigne de François.

— Oui!» répondit Mick.

Il éprouvait de l'affection pour la petite gitane; elle était curieuse, fascinante, agaçante, pourrie de défauts et, pourtant, il l'aimait bien! Mais il lui dit:

«Je ne t'aime pas beaucoup en ce moment. Si tu veux reconquérir mon amitié, il faudra nous aider un peu mieux que tu ne l'as fait jusqu'à présent.

— Bien!» grogna Jo.

Et elle s'allongea par terre.

« Je suis fatiguée, je vais dormir. Demain matin, je vous conduirai vers Mesnil-le-Rouge, mais je vous préviens, cet homme est une brute. »

Elle se tut, et ils essayèrent tous de dormir. Ils étaient plus heureux maintenant que Jo se trouvait avec eux et pouvait les aider à sortir du bois. François lui-même s'endormit.

Jo s'éveilla la première et s'étira comme un jeune chat. Elle réveilla les autres; ils se sentaient fatigués, sales et affamés.

« J'ai faim et soif! gémit Annie.

— Nous allons retourner à la maison prendre un bain et un bon petit déjeuner. Maria doit se faire du souci, dit François. Montre-nous le chemin, Jo. »

Elle marcha devant eux. Quelques minutes plus tard, ils se retrouvèrent dans le sentier qu'ils avaient perdu la veille.

« Dire que nous en étions si près, soupira Mick. Nous avons eu l'impression de faire des kilomètres dans cette forêt!

— Vous avez beaucoup marché, parce que vous tourniez en rond! Suivez-moi, nous allons prendre mon raccourci jusqu'à la villa, c'est beaucoup plus rapide que l'autocar. »

Dans le bateau de Claude

Maria était très heureuse de retrouver les enfants. Elle avait passé la nuit dans l'inquiétude. Si le téléphone avait fonctionné, elle aurait sûrement appelé la police.

« Je n'ai pas dormi, déclara-t-elle. Si une telle aventure se reproduit, monsieur François, j'en mourrai ! Et vous n'avez retrouvé ni Claude ni Dagobert ? S'ils ne reviennent pas, je vais moi-même chercher les gendarmes ! Aucune nouvelle non plus de votre oncle et de votre tante ! J'espère qu'ils ne sont pas perdus et kidnappés eux aussi ! »

La pauvre cuisinière était dans tous ses états. Dans son impatience, elle commençait plusieurs choses à la fois ; le pain grillé brûlait, le lait débordait... Les enfants se servirent eux-même leur petit déjeuner...

Ils étaient encore tout étonnés. La gitane les avait ramenés vers leur maison comme un chien berger ramène ses brebis. Elle connaissait tous les raccourcis, et ils n'avaient pas mis longtemps pour revenir de la forêt de Courcy.

Maria les regardait tous d'un air apitoyé.

«Vous êtes aussi sales que la petite gitane! Vous pourriez être ses frères et sœur. Je vais vous préparer un bain, mes pauvres chéris!»

Jo mordait dans son pain beurré. Elle se moquait des remarques de Maria.

«Et maintenant je ne pourrai plus faire la cuisine aujourd'hui, monsieur François, je n'ai plus aucune provision dans la maison! Comment s'organiser au milieu de tous ces troubles! Vous vous nourrirez de pain et de confitures.»

Après le petit déjeuner, les quatre enfants prirent un bain bien chaud. Jo ne voulait pas. Mais Maria courut derrière elle en brandissant la tapette à battre les tapis.

«Si tu ne prends pas ton bain, je vais te battre avec ça jusqu'à ce que toute ta crasse s'en aille!»

La gitane obéit enfin. Lorsqu'elle fut dans la baignoire, elle s'y trouva très bien. Les enfants eurent un entretien sérieux aussitôt après.

«Que sais-tu de cet homme que tu appelles Mesnil-le-Rouge? demanda François à Jo.

— Pas grand-chose. Il est riche, il a une drôle de façon de parler et je crois qu'il est fou. Il emploie des hommes comme mon père ou Manolo pour faire son sale travail à sa place.

— Quel sale travail? interrogea Mick.

— Oh! voler, cambrioler, des tas de choses.... Je ne sais pas exactement. Papa ne me dit rien. Je ne pose pas de questions, j'écoute. Je ne tiens pas à être battue davantage...

— Où habite-t-il? demanda Annie. Loin d'ici?

— Il a une maison sur la falaise, expliqua la gitane, je ne connais pas le chemin en passant par les terres, mais je sais y aller en bateau : c'est un endroit curieux, presque un petit château avec des gros murs de pierre.

— Y es-tu allée? demanda Mick.

— Oh oui! répondit Jo. Deux fois. Mon père devait aller chercher un grand coffre ; j'étais allée avec lui.

— Pourquoi? demanda François, il avait vraiment besoin de toi?

— Je m'occupais du bateau. Je vous ai dit que la maison de cet homme se trouve sur la falaise. Nous y sommes allés avec une barque. Il y a là une sorte de grotte. C'est là que nous avions abordé. Mesnil-le-Rouge nous attendait. Il était descendu de sa maison jusqu'à la grotte, je n'ai jamais su comment. »

Mick regarda Jo.

« Tu vas sans doute nous dire qu'il existe un passage secret qui va de la grotte jusqu'à la maison?

— Peut-être », répondit Jo.

Elle se rapprocha de Mick.

« Tu ne me crois pas? Alors débrouille-toi tout seul!

— Ne te fâche pas! répliqua François, mais ton histoire ressemble à un roman. Es-tu sûre que tout cela soit bien vrai, Jo? Nous ne voulons pas nous égarer encore une fois!

— Je suis prête à vous accompagner, répondit sèchement la petite, mais il nous faut un bateau...

— Nous prendrons celui de Claude, décida Mick. En avant, Jo! Cette fois nous laissons la petite Annie à la maison.

— Je veux venir! supplia Annie.

— Non, toi, tu restes avec moi, décréta Maria, je n'ai pas envie d'être seule aujourd'hui, tu m'aideras et tu me tiendras compagnie.»

Au fond, Annie n'était pas fâchée de rester tranquillement à la maison. Elle regarda partir les trois autres.

Jo se cacha entre les haies. Elle redoutait la présence de Manolo et ne voulait pas être vue. François et Mick descendirent les premiers vers la plage, afin de s'assurer que le gitan n'y était pas. Puis ils allèrent prévenir Jo qui rampa de cachette en cachette, jusqu'au bateau de Claude dans lequel elle sauta. Mick en fit autant et François poussa l'embarcation en profitant d'une grosse vague, puis il embarqua à son tour.

«Est-ce loin? demanda-t-il à Jo qui était assise au fond de la barque.

— Je n'en sais rien, répondit la gitane. Deux heures, trois heures peut-être...»

Elle n'avait nullement conscience du temps. Elle ne possédait pas de montre et ignorait l'heure. Le temps pour elle, c'était seulement le jour et la nuit, rien d'autre.

Mick hissa une petite voile. Le vent leur était favorable.

«As-tu apporté le déjeuner que Maria nous a préparé? demanda François à Mick. Je ne le vois nulle part.

— Jo, tu es installée dessus!» s'écria Mick.

En effet, elle était tombée assise au fond de la barque et n'avait plus bougé. Elle prit la barre, et les garçons virent tout de suite qu'elle savait piloter un bateau. François déplia une carte.

«Je me demande où se trouve la maison du nommé Mesnil-le-Rouge, dit-il. La côte est désolée jusqu'à Port-sur-Mer. S'il a un repaire sur l'une des falaises, ce doit être dans un site vraiment sauvage et solitaire. Je ne vois pas un seul village de pêcheurs.»

Le petit voilier avançait à bonne allure. François prit la barre à son tour et interrogea Jo.

«Nous avons parcouru déjà pas mal de chemin, dit-il, où est cet endroit? Es-tu sûre de bien le reconnaître?

— Naturellement, répliqua la gitane. Je pense que c'est là-bas derrière cette grande falaise.»

Elle avait raison. Lorsqu'ils contournèrent le promontoire, Jo leur montra du doigt un bâtiment.

«Vous voyez? Là-haut se trouve la maison de Mesnil-le-Rouge.»

Les garçons regardèrent. Ils virent une demeure de pierre grise qui ressemblait à un petit château. Il surplombait la mer et présentait une tour, face à l'océan.

«La grotte ne doit pas être loin, avertit Jo. Ouvrez bien vos yeux!»

Le voilier la dépassa; les enfants ne la virent qu'en la doublant.

«C'est là!» cria Jo.

Ils baissèrent la voile, et revinrent en arrière en ramant silencieusement. Tout était calme à cet endroit.

«Peut-on nous voir de la maison? demanda Mick.

— Je ne sais pas, répondit Jo, je ne pense pas, mais il vaut mieux aborder et cacher le bateau dans les rochers, nous ne savons pas si quelqu'un descendra ou non dans la grotte aujourd'hui.»

Ils amarrèrent le bateau derrière un rocher, à l'entrée de la grotte, puis Mick recouvrit le pont d'énormes paquets de varech, afin de le camoufler.

«Et maintenant, que faisons-nous? demanda François.

— Nous allons grimper par là», expliqua Jo et, s'agrippant des mains et des pieds, elle commença à escalader la falaise.

Les enfants étaient bons grimpeurs eux aussi, pourtant à mi-chemin ils semblèrent découragés.

Jo se retourna.

«Qu'est-ce qu'il y a? demanda-t-elle. Mon père grimpe aisément, vous devriez donc y arriver!

— Ton père était acrobate!» répondit François qui avait glissé et redescendait un peu trop vite à son goût.

«Ah! je n'aime pas ça! Si au moins j'avais une corde, soupira-t-il.

— Il y en a une dans le bateau, je vais la chercher!» s'exclama la gitane.

Aussitôt dit, au sitôt fait, quelques instants plus tard, elle remontait à toute vitesse avec la corde. Lorsqu'elle fut beaucoup plus haut que les garçons, elle enroula l'extrémité du filin autour d'un rocher et ils purent s'accrocher pour poursuivre leur ascension. C'était beaucoup plus facile ainsi. Lorsqu'ils arrivèrent à l'endroit où se trouvait Jo, ils découvrirent une seconde grotte dans le rocher. Celle-ci était voûtée et très sombre.

«Par ici», dit Jo et elle leur montra le chemin.

Mick et François la suivirent un peu inquiets. Où allaient-ils maintenant?

Chapitre 18

Les événements
se précipitent

Jo les conduisit à travers un tunnel rocheux. Son instinct la guidait. Ils se trouvaient maintenant dans une nouvelle grotte encore plus grande que la précédente, dont les murs ruisselaient d'humidité. François était très content d'avoir apporté sa lampe électrique. Il faisait froid et il frissonnait. Soudain, il sursauta ; quelque chose l'avait frappé à la figure.

« Ce n'est rien, dit Jo en riant, c'est une chauve-souris, il y en a des centaines ici. Rien qu'à l'odeur je le devine, venez ! »

Puis ils débouchèrent dans une autre grotte, plus petite cette fois.

«Je n'ai jamais été plus loin qu'ici, expliqua Jo. Une fois nous avions amarré le bateau ; mon père et moi attendions Mesnil-le-Rouge. Lorsqu'il est apparu, je n'ai jamais su par où il était entré.

— Il existe sûrement un passage. Nous allons le trouver !» Et Mick alluma sa lanterne.

François et Mick commencèrent à explorer la grotte, cherchant une faille, un tunnel, une ouverture. Jo attendait dans un coin, elle n'avait pas de lampe. Soudain les enfants eurent une émotion terrible. Une voix tonna dans la caverne. C'était une voix basse et pleine de colère qui fit battre leur cœur à coups violents :

«Ainsi, vous avez osé venir ici !»

Jo se cacha dans une anfractuosité du rocher, comme un petit animal. Les garçons demeurèrent cloués sur place. D'où venait le son ?

«Qui êtes-vous ? gronda la voix.

— Et vous, qui êtes-vous ? cria François courageux. Sortez et montrez-vous ! Nous sommes venus pour voir un homme appelé Mesnil-le-Rouge. Conduisez-nous jusqu'à lui !»

Il y eut un long moment de silence, comme si l'inconnu était parti, puis de nouveau la voix tonna :

«Pourquoi voulez-vous voir le Rouge ? Qui vous envoie ?

— Personne, nous sommes venus exiger la liberté de notre cousine et de son chien !» hurla François.

Il y eut un autre silence, puis deux jambes apparurent dans un trou du plafond, et

132

quelqu'un sauta légèrement à côté d'eux. Les garçons sursautèrent, ils n'avaient pas réalisé que la voix venait d'en haut.

François prit l'inconnu dans le faisceau de sa lampe. C'était un géant aux cheveux couleur de flamme ; ses sourcils étaient roux, comme ses cils, et il portait une barbe fauve, qui cachait en partie sa bouche cruelle. François regarda les yeux de l'homme et pensa aussitôt : « Il est fou ! Qui est-ce ? Un savant, jaloux du travail et de la réussite de l'oncle Henri, ou un voleur, travaillant pour un gang, essayant d'obtenir des documents importants pour les vendre ? De toute façon, il a un regard de fou ! »

Mesnil-le-Rouge observait les deux garçons...

« Ainsi, vous croyez que je retiens ici votre cousine ? demanda-t-il. Qui vous a raconté une histoire aussi stupide ? »

François ne répondit pas. Mesnil-le-Rouge avança vers lui.

« Qui vous a dit cela ?

— Je vous l'expliquerai lorsque les gendarmes viendront », répondit froidement François.

L'homme recula.

« Les gendarmes ? Que savent-ils ? Pourquoi viendraient-ils ici ? Répondez-moi !

— La police sait sans doute beaucoup de choses à votre sujet, monsieur, répliqua François. Qui a envoyé des hommes pour voler les documents de mon oncle ? Qui nous a adressé un message pour obtenir un important carnet de notes secrètes ? Qui a kidnappé ma cousine et l'a gardée en otage? Qui l'a conduite jusqu'ici dans la vieille roulotte d'Antonio? Qui?

— Ah! ah! ah!» s'exclama l'inconnu; il y avait de l'effroi dans sa voix. «Que de mensonges! Les gendarmes ont-ils entendu ce récit fantastique?

— Qu'en pensez-vous?» demanda François qui souhaitait de tout son cœur que la police soit avertie à temps, tandis qu'il bravait courageusement ce fou.

Et soudain celui-ci, levant la tête vers la trappe, appela:

«Markhoff! Descends!»

Deux jambes apparurent et un homme se laissa glisser près des garçons.

«Descends la falaise, tu trouveras, à l'entrée de la grotte probablement, le bateau dans lequel nous avons vu ces garçons arriver, dit le géant roux. Fais-le couler, détruis-le, rends-le inutilisable, puis reviens ici, conduis les enfants dans la cour, ligote-les. Nous partirons au plus vite avec la gosse.»

Markhoff regarda Mesnil-le-Rouge d'un air surpris.

«Comment partirons-nous? reprit-il. Tu sais bien que l'hélicoptère n'est pas en état de marche!

— Répare-le, rugit le bandit, nous partons! Ce soir la police sera là, tu entends? Ce garçon sait tout et il a prévenu les gendarmes. Il *faut* filer!

— Que ferons-nous du chien? demanda Markhoff.

— Tue-le! ordonna Mesnil-le-Rouge. Tue-le

avant que nous partions. C'est une brute! Nous aurions déjà dû lui envoyer quelques balles dans la peau! Obéis!»

L'homme disparut. François serrait les poings. Quelle tristesse de penser que le bateau de Claude allait sombrer!

Mesnil-le-Rouge attendait, ses yeux cruels brillaient.

«Je vous aurais emmenés avec nous s'il y avait eu de la place, dit-il à François, et je vous aurais jetés à la mer! Vous pouvez dire à votre oncle qu'il entendra parler de moi. S'il veut retrouver sa fille, qu'il m'envoie les documents, je l'exige! Merci beaucoup de m'avoir averti de l'arrivée de la police. Je partirai à temps.»

Il faisait les cents pas dans la grotte, en parlant entre ses dents.

Mick et François se regardaient en silence. Ils étaient anxieux pour Claude; l'homme allait-il vraiment l'emmener dans son hélicoptère? Il semblait fou! Il devait être capable de tout!

Enfin, Markhoff revint.

«Le bateau a coulé dit-il.

— Parfait, répondit Mesnil-le-Rouge. Je passe le premier, ensuite les garçons, ensuite toi! Surveille-les bien.»

Mesnil se hissa dans l'ouverture : le plafond était d'ailleurs très bas. François et Mick suivirent, ils n'avaient vraiment aucun moyen de résister! Markhoff grimpa derrière eux.

Quant à Jo, elle était demeurée si bien cachée dans l'anfractuosité du rocher, que personne ne l'avait vue. Que faire? François se demandait s'il devait en parler à Mesnil. Il lui semblait terrible de laisser la petite fille seule ; elle ne pourrait pas s'enfuir, puisque le bateau était perdu ; mais elle était si débrouillarde qu'elle s'en tirerait peut-être.

Le géant roux leur montra le chemin à travers une autre grotte, si basse de plafond qu'il fallait marcher courbé en deux. Markhoff éclairait le chemin avec une lampe puissante. Le passage secret, d'accès peu facile, conduisait à la demeure, sur la falaise. Une rampe avait été installée le long du mur, car le chemin souterrain montait assez dur. Un escalier taillé dans le roc, aux marches très hautes, conduisait jusqu'à une porte qui se dressait maintenant devant les enfants.

L'homme roux l'ouvrit. François fut aveuglé par la lumière du jour. Ils se trouvaient dans une grande cour pavée de larges pierres ; entre les dalles, l'herbe poussait. Au milieu, ils virent un hélicoptère ; cela faisait un effet curieux, dans cette cour ancienne. Des bâtiments couverts de lierre épais bordaient la cour sur trois de ses côtés. Sur le quatrième s'élevait un mur assez haut, percé en son milieu d'une ouverture fermée par une forte grille. François distingua les énormes verrous dont elle était pourvue.

« On dirait une citadelle », pensa-t-il.

Et soudain il fut entraîné vers une cabane édifiée dans un angle de la cour. On le poussa à l'intérieur. On attacha durement ses poignets dans son dos ; la corde fut nouée autour d'un anneau de fer. François était prisonnier ! Il pouvait voir maintenant Markhoff attacher le pauvre Mick. L'aîné des garçons cherchait désespérément un moyen d'échapper à ce cauchemar. Par la fenêtre de la cabane, il regarda la tour qui dominait la demeure. Dans l'encadrement d'une fenêtre, il distingua un petit visage pâli. Le cœur de François battit très fort. Etait-ce la pauvre Claude? Pourvu qu'elle ne les ait pas vus! Ne serait-elle pas affreusement découragée si elle apprenait que Mick et lui étaient faits prisonniers?

Mais où se trouvait Dagobert?

De l'autre côté de la cour, il y avait une petite maison basse. François distingua un animal couché là; était-ce Dagobert? Pourquoi n'aboyait-il pas en les voyant?

«Est-ce le chien de ma cousine? demanda-t-il à Markhoff.

— Oui, répondit celui-ci. On lui a donné des somnifères car il aboyait trop. C'est une sale bête, heureusement qu'on va le tuer!»

Mesnil-le-Rouge avait traversé la cour et avait franchi une porte voûtée. Markhoff le suivit. François et Mick furent abandonnés à eux-mêmes.

«Nous n'avons pas beaucoup de chance de réussir, dit François. Ils vont s'en aller et emmener Claude.»

Mick ne répondit rien, il se sentait misérable, ses poignets attachés lui faisaient très mal. Les deux garçons, compagnons de misère, se demandaient ce qui allait leur arriver.

«Pstt!...

— Qu'est-ce que c'est?»

François se retourna dans la direction de la

porte d'accès du souterrain. Jo était là, dans l'ombre.

« Pstt! Attendez, je vais venir vous détacher! »

Chapitre 19

Escalade acrobatique

« Jo ! s'écrièrent les garçons. Viens ! »

Il n'y avait personne dans la cour. Jo se glissa jusqu'à la cabane et y pénétra.

« J'ai un couteau dans ma poche, dit François. Sors-le, ce sera plus facile de couper ces cordes que de défaire les nœuds. Je n'ai jamais été aussi content de retrouver quelqu'un ! »

Jo se hâtait. Elle s'empara du couteau et l'ouvrit. C'était un magnifique canif de scout à la lame acérée.

« Je suis restée un peu en arrière, expliquat-elle rapidement, puis j'ai suivi le même chemin que vous, mais c'était très sombre. Je n'aime pas ça ! J'étais bien contente lorsque je vous ai vus.

— Heureusement que les hommes ne t'ont pas aperçue ! dit Mick. Comme je suis content que tu sois là, ma petite Jo! Je te demande pardon pour tout ce que je t'ai dit de désagréable!»

Jo était ravie. Elle coupa les dernières cordes qui liaient François. Bientôt les deux garçons furent libres.

«Où est Claude? demanda-t-elle.

— Dans cette tour, répondit François. Tu peux regarder et la voir par la fenêtre; nous avons aussi aperçu ce pauvre Dago, abruti de sommeil.

— Je ne le laisserai pas tuer, dit Jo, c'est un gentil chien, je vais y aller et l'emporter dans une grotte.

— Pas maintenant! s'écria François horrifié. Si les hommes te voient, nous serons de nouveau capturés!»

Mais Jo courait déjà vers la petite maison d'été où se trouvait le chien.

Une porte qui claquait fit sursauter les enfants, Jo se cacha. Mesnil-le-Rouge traversait la cour.

«Vite, il arrive! dit Mick en proie à la panique. Replaçons-nous devant les anneaux de fer, cachons nos mains derrière nous, faisons semblant d'être toujours attachés!»

L'homme s'approcha de la cabane et rit.

«Vous pouvez rester ici jusqu'à ce que les gendarmes viennent», dit-il; il ferma la petite porte à clef, marcha vers l'hélicoptère, l'examina consciencieusement. Puis, il rentra dans la maison.

Lorsque tout redevint calme, Jo courut de la maison d'été à la cabane. Elle en tira les verrous.

«Sortez, dit-elle, et nous refermerons à clef, personne ne saura que vous n'êtes plus là. Vite!»

Ils sortirent en espérant que personne ne regardait de leur côté. Jo ferma la porte derrière eux, et ils coururent vers l'entrée du souterrain, dont ils descendirent les premières marches.

«Merci, Jo», dit Mick.

Ils s'assirent sur une marche. La tête dans ses mains, François essayait de réfléchir. Que faire? La police ne viendrait pas. Il avait bluffé. Personne ne savait rien de «Mesnil-le-Rouge», ni de Claude. La malheureuse petite, emportée dans l'hélicoptère, ne pourrait appeler au secours et Dagobert serait tué. «Il n'y a aucun moyen de faire sortir Claude de la tour», pensa-t-il.

«Les portes sont sûrement verrouillées, dit-il tout haut. Sinon Claude serait venue tout au moins dans la cour. Comment faire pour la délivrer?»

La gitane regarda Mick.

«Vous voulez *vraiment* délivrer Claude? demanda-t-elle.

— Quelle question stupide! répondit Mick. Bien sûr!

— Bon, j'y vais tout de suite.» Et elle se leva.

«Nous ne plaisantons pas, Jo, dit François, tout cela est très grave.

— Je suis sérieuse aussi, répondit Jo. Je la ferai sortir, je vous le dis, vous savez bien que vous pouvez me croire, maintenant. Vous aviez

141

l'impression que je ne valais pas grand-chose, mais je peux vous aider.

— Comment?» demanda François étonné et sceptique.

La petite fille expliqua :

«Cette tour est grande. Il y a sûrement plus d'une pièce. Si je peux me glisser jusqu'à la chambre voisine de celle de Claude, je pourrai la libérer.

— Et comment arriveras-tu jusqu'à la chambre voisine de la sienne? demanda Mick.

— En grimpant le long du mur, bien sûr! Ce n'est pas difficile, je m'accrocherai au lierre. Je fais cela souvent.»

Les garçons la regardèrent. Ils se souvenaient de l'effroi d'Annie le premier soir, lorsqu'elle avait vu un visage derrière la fenêtre de la villa des Mouettes. Ils comprenaient tout. C'était donc la gitane!

«Cette tour est trop haute, affirma François. Je ne te laisserai pas faire! Si tu tombais, tu te tuerais!»

La gitane éclata de rire.

«Tomber d'un mur comme celui-là? J'ai souvent grimpé quand il n'y avait même pas de lierre, en m'accrochant aux arêtes de la pierre, aujourd'hui ce ne sera vraiment pas difficile.»

François n'arrivait pas à la croire, mais Mick songeait au père de Jo, un acrobate; la petite fille avait probablement hérité de ses dons.

«Je voudrais que vous me voyiez danser sur une corde, dit Jo, et sans filet! C'est un jeu d'enfant... Bon, j'y vais.»

Elle grimpa les escaliers silencieusement, comme un petit chat, et attendit à la porte que tout soit calme, puis elle traversa la cour et arriva au pied du mur couvert de lierre.

François et Mick, réfugiés sous le porche d'entrée du souterrain, la regardaient.

«Elle risque de se tuer, dit François.

— Je n'ai jamais vu une gosse pareille! Regarde. Elle grimpe comme un singe», répondit Mick.

En effet, elle montait, légère et rapide. Elle se tenait vigoureusement par les mains et posait son pied, d'abord légèrement pour s'assurer de la solidité des branches avant de monter de plus en plus haut. Soudain, une branche cassa, et Jo glissa un peu; les deux garçons avaient la gorge serrée en la voyant faire. Mais la petite acrobate continuait sa difficile ascension. Elle avait dépassé le premier étage, puis le second, puis le troisième. Maintenant, elle était presque au sommet, et paraissait minuscule.

«Je ne peux pas m'empêcher de la regarder, dit Mick, c'est épouvantable!» Il frémissait. «Si elle tombe maintenant, que ferons-nous?

— Tais-toi, murmura François, elle ne tombera pas, c'est un vrai chat! Regarde! Elle pousse la fenêtre, elle entre....»

La gitane était maintenant assise, triomphante, sur le rebord de la fenêtre. Elle avait atteint la chambre voisine de celle de Claude, elle faisait de grands gestes de bras imprudents, pour montrer sa joie aux garçons!

La fenêtre était entrouverte, et comme Jo ne réussissait pas à la pousser, elle se glissa dans la mince fente, entre les deux battants, et disparut à la vue des enfants. Mick sentait ses genoux trembler. Son frère l'entraîna vers l'escalier du souterrain où ils étaient plus en sécurité.

«C'était pire qu'au cirque! dit enfin Mick. Je ne pourrai plus jamais regarder d'acrobates. Que fait-elle maintenant? Peux-tu l'imaginer?»

Jo s'était fait une bosse en sautant à l'intérieur de la pièce. Maintenant son cœur battait très fort. Elle se cacha un moment derrière un fauteuil dans la crainte que quelqu'un l'ait entendue entrer. Mais personne ne semblait habiter cet étage.

La pièce était garnie de meubles anciens. Il y avait de la poussière partout et des toiles d'araignées pendaient au plafond.

Jo traversa doucement la chambre. Comme elle était pieds nus, elle ne faisait aucun bruit.

Elle découvrit un escalier qui descendait en spirale. De chaque côté se trouvait une porte. Il devait y avoir quatre pièces dans la tour, une à chaque angle. Chacune avait deux fenêtres. « La porte voisine, pensa Jo, doit être celle de la prison de Claude. »

Jo tira le verrou. Cela fit un peu de bruit et elle se cacha de nouveau, mais personne ne vint. Alors, elle se hasarda à tourner l'énorme clef dans la serrure. La porte s'ouvrit, la fillette passa sa tête prudemment. Claude était là, une Claude amaigrie et triste, assise près de la fenêtre. Elle regardait Jo sans pouvoir en croire ses yeux.

« Pstt! dit Jo qui s'amusait beaucoup de tout cela. Je suis venue te chercher! »

Chapitre 20

La terrible aventure continue

Claude regarda Jo comme si elle voyait apparaître un fantôme.

« Jo, murmura-t-elle, est-ce bien toi ?

— Oui, tu ne rêves pas. »

Et traversant la chambre, la gitane malicieuse alla pincer Claude.

« Tu vois que tu ne rêves pas ! Tu as senti ? Viens maintenant. Il faut nous dépêcher avant que Mesnil-le-Rouge arrive, je n'ai pas envie de me faire prendre. »

Claude se leva comme une somnambule. Elle traversa la pièce, franchit la porte. Les deux fillettes se tenaient sur la plus haute marche de l'escalier.

« Je pense qu'il faut s'échapper par là ? »

demanda Jo. Elle écouta, descendit quelques marches, mais avant d'avoir pu aller plus loin, elle s'arrêta affolée; quelqu'un venait.

Bouleversée, elle remonta et poussa Claude dans la première pièce.

«On vient, murmura-t-elle, nous sommes perdues! Si c'est l'homme aux cheveux rouges qu'allons-nous faire?

— Il vient trois ou quatre fois par jour; il essaie de me faire parler de mon père et de ses travaux.»

Les pas se rapprochaient et résonnaient sourdement... Les fillettes entendaient maintenant quelqu'un respirer fort.

Jo eut une idée. Elle dit tout bas à l'oreille de Claude :

«Ecoute, nous nous ressemblons beaucoup. Je vais me laisser enfermer dans cette pièce et tu pourras t'enfuir et retrouver Mick et François. Mesnil-le-Rouge ne saura jamais que je ne suis pas toi; tu vois bien, Maria m'a donné ces vêtements, nous sommes habillées de la même façon.

— Non, protesta Claude, je ne veux pas que tu sois prise!

— Obéis-moi! Ne t'inquiète pas pour moi : j'ouvrirai la fenêtre et je descendrai le long du lierre, tout simplement, dès que l'homme sera parti; c'est notre seule chance, sinon ils vont t'emmener dans leur hélicoptère, ce soir.»

Les pas étaient maintenant tout proches. Jo poussa Claude derrière un rideau et murmura :

«De toute façon, je ne fais pas ça pour toi, je le fais pour Mick. Reste ici et laisse-moi agir.»

Lorsque l'homme s'aperçut que la porte de Claude était ouverte, il poussa un juron. Il entra et, ne trouvant personne, il ressortit aussitôt; il appela :

«Markhoff! La porte est ouverte et la petite est partie! Qui a ouvert la porte?»

Markhoff apparut, essoufflé. Il avait monté les escaliers quatre à quatre.

«Personne. La petite ne peut pas être loin! Je n'ai pas quitté la chambre de dessous; si elle était descendue, je l'aurais vue!

— Qui a ouvert la porte? rugit Mesnil-le-Rouge hors de lui. Il faut que nous rattrapions cette gosse!

— Elle doit être dans l'une des autres chambres», répondit Markhoff que la colère de son maître ne semblait pas impressionner.

Il marcha vers la pièce où Jo et Claude se cachaient en tremblant. La première chose qu'il vit, ce fut la chevelure noire de la gitane dépassant un peu de la chaise derrière laquelle elle s'était tapie.

Il l'attrapa aussitôt et s'écria :

«La voilà!»

Il ne remarqua pas que ce n'était pas Claude, mais Jo. Il faut dire que les deux fillettes, avec leurs cheveux courts et leurs vêtements semblables, pouvaient aisément passer l'une pour l'autre. Jo se plaignit et se débattit, tout en cachant son visage dans ses mains...

Pendant ce temps, Claude, cachée derrière les rideaux, ne pouvait s'empêcher de frémir. Elle aurait voulu voler au secours de la gitane, mais il ne fallait pas. Elle pensait avec tendresse à son pauvre chien qu'elle allait peut-être enfin retrouver; elle avait été si triste que les bandits le lui arrachent.

La gitane fut entraînée dans l'autre pièce. Elle hurlait toujours et se défendait, mais on l'enferma à clef. Les deux hommes se disputaient à présent.

«C'est toi qui as laissé la porte ouverte! Tu es descendu le dernier!

— Je t'ai déjà dit que j'avais verrouillé la porte et que je me trouvais à l'étage en dessous! D'ailleurs, tu es tellement distrait, c'est probablement toi qui as commis cette bêtise!

— Eh bien, nous verrons qui a raison! gronda Mesnil-le-Rouge. Pour le moment, fais ton travail! As-tu tué ce chien? Non? Pas encore? Dépêche-toi de le faire avant qu'il ne s'échappe à son tour!»

Le cœur de Claude se serra. Ils allaient tuer Dagobert! Oh non! Elle ne le supporterait pas! Pauvre Dagobert qu'elle aimait tant!

Mais que faire? Elle entendit Mesnil-le-Rouge et Markhoff descendre les escaliers, le bruit de leurs pas décrut. Alors elle se décida à descendre à son tour. Ils étaient maintenant dans la grande salle et se disputaient toujours. Claude risquait d'être vue en passant devant le seuil. Heureusement, elle découvrit un autre escalier qui descendait tout droit; il était si raide qu'elle faillit tomber. Elle ne rencontra personne. Quelle étrange demeure!

Enfin, elle arriva dans une pièce immense, très sombre et très humide. Elle courut vers la grande porte; après maints efforts elle parvint à l'ouvrir.

Elle demeura un instant aveuglée par la

lumière du soleil. Elle savait bien où se trouvait Dagobert, car elle l'avait quelquefois vu par sa fenêtre. Elle n'ignorait pas qu'on l'avait drogué pour l'empêcher d'aboyer. Mesnil-le-Rouge le lui avait raconté. Il éprouvait un méchant plaisir à lui faire de la peine. Pauvre Claude!

Elle traversa la cour et entra dans la maison d'été. Dagobert était là; il semblait endormi. Claude s'agenouilla près de lui, noua ses bras autour de son cou.

«Dagobert, oh! Dagobert!» gémit-elle.

Elle le voyait à peine à travers une buée de larmes. Dagobert très loin, perdu dans le sommeil, entendit cette voix qu'il aimait tant. Il frémit, ouvrit les yeux et aperçut sa maîtresse.

La drogue qu'on lui avait administrée était si forte que le pauvre chien ne pouvait se dresser sur ses pattes; il lécha le visage de son amie puis referma les yeux. Claude était désespérée. Elle avait tellement peur que Markhoff vienne et le tue!

«Dagobert, dit-elle, en parlant tout contre l'oreille du chien. Réveille-toi, Dagobert. Dago!»

Dago ouvrit enfin les yeux; sa maîtresse était encore là. Ce n'était donc pas un rêve! Le pauvre animal était incapable de comprendre ce qui lui était arrivé durant ces derniers jours. Il fit un effort, ses pattes tremblaient, enfin il se dressa.

«Très bien, mon petit chien, murmura Claude. Maintenant, viens vite avec moi.»

Mais Dagobert ne pouvait pas marcher. Découragée, Claude regarda dans la cour,

151

effrayée à l'idée que Markhoff allait arriver. Mais ce n'est pas le bandit qu'elle découvrit : François, debout sur le seuil de la grande porte voûtée, la regardait. Elle se faisait tellement de souci pour le chien qu'elle ne s'étonna même pas de voir son cousin là.

« François, appela-t-elle, viens au secours de Dago, ils vont le tuer ! »

François accourut, suivi de Mick.

« Qu'est-il arrivé, Jo ? As-tu trouvé Claude ?

— Voyons, François ! C'est moi, Claude ! »

François ne l'avait pas reconnue...

« Où pouvons-nous cacher le chien ?

— Dans le souterrain, répondit Mick, c'est le seul endroit possible. Viens ! »

Ils arrivèrent à tirer le pauvre Dagobert, engourdi et lourd, à travers la cour jusqu'à l'arche de pierre : ils ouvrirent la porte et le poussèrent à l'intérieur. Le malheureux chien dégringola les marches plutôt qu'il ne les descendit et s'écroula en bas de l'escalier en gémissant. Claude fut affolée.

« Il a dû se blesser ! »

Mais au grand étonnement des trois enfants, le choc semblait, au contraire, avoir réveillé l'animal ; il se secouait, regardait tout autour de lui, enfin il vint manifester sa joie à sa maîtresse.

Celle-ci le caressait, le consolait ; les deux garçons étaient très émus eux aussi. Dans sa tête de chien, Dagobert pensait que tout irait mieux quand il se sentirait moins lourd et moins fatigué, il n'aspirait qu'à une seule chose : s'étendre et dormir.

« Descendons-le vite dans les grottes, dit

Mick. Ces bandits le chercheront sûrement, lorsqu'ils s'apercevront qu'il s'est enfui et que nous ne sommes plus dans la cabane.»

Comme ils l'avaient vu faire aux deux hommes, les enfants passèrent par la trappe. Maintenant, réunis autour du chien, ils tenaient un conciliabule. Les garçons avaient éteint leur lampe, et Claude en était plutôt contente, car après toutes ces émotions elle pleurait en silence et ne voulait pas qu'on la vît.

Enfin, elle raconta à ses cousins, à voix basse, les exploits de la gitane.

«C'est elle qui a voulu que je me cache et qui s'est fait enfermer à ma place. Elle est merveilleuse! C'est la fille la plus courageuse que j'aie jamais connue! Avoir fait tout cela pour moi qui lui étais tellement antipathique!

— C'est une drôle de gamine, répondit Mick. Elle a très bon cœur.»

Ils parlaient vite, échangeant les nouvelles qu'ils connaissaient. Claude leur raconta comment elle avait été enlevée et conduite dans la roulotte en pleine forêt.

«C'est là que nous avons vu ton message "Mesnil-le-Rouge", expliqua Mick, et c'est pourquoi nous sommes arrivés jusqu'ici.

— Ecoutez, dit François gravement, il faut vite établir un plan, les bandits vont nous chercher, c'est certain! Qu'allons-nous faire?»

Chapitre 21

Nouvelles surprises

François avait l'impression d'entendre du bruit; les autres écoutèrent attentivement... Le cœur de Claude battait très fort.

«C'est peut-être la rumeur de la mer dans les grottes, dit enfin François. D'habitude, nous n'avons pas besoin de tendre l'oreille, Dagobert nous avertit toujours, mais cette fois-ci, il a été tellement drogué, le pauvre! Je suis sûr qu'il n'entend rien du tout.

— Est-ce qu'il retrouvera toutes ses forces? demanda Claude, inquiète pour Dago.

— Bien sûr, répondit son cousin, pour cacher sa propre inquiétude; d'ailleurs, il n'a pas l'air malade.

— Tu as dû passer des moments épouvantables, ma pauvre Claude, dit Mick.

155

— Oui, soupira Claude, je n'aime pas beaucoup en parler. Si seulement j'avais eu Dagobert avec moi, j'aurais été moins malheureuse, mais le brave chien ne faisait qu'aboyer et se plaindre, alors les bandits l'ont drogué.

— Comment as-tu été amenée jusqu'à ce château? interrogea François.

— J'étais enfermée dans cette roulotte qui sentait mauvais, lorsque soudain un homme, appelé Antonio — le père de Jo, je suppose — vint me faire sortir. Dagobert somnolait, abruti; on l'avait frappé sur la tête; le gitan le mit dans un sac et nous installa tous les deux sur le cheval. C'est ainsi que nous avons traversé le bois, et suivi un sentier désert; à la nuit tombée nous sommes arrivés jusqu'à la côte et jusqu'à cette affreuse demeure.

— Pauvre petite Claude, s'apitoya François. J'aimerais que Dagobert soit guéri, cela me ferait plaisir de le voir sauter à la gorge de ce monstre!

— Je me demande ce qui a pu arriver à Jo, dit Mick se souvenant avec tristesse que la gitane était maintenant captive dans la tour.

— Crois-tu que Mesnil-le-Rouge et Markhoff ont déjà découvert notre évasion et la disparition de Dagobert? Ils vont être furieux! s'exclama François.

— Nous ne pouvons pas partir? demanda Claude, brusquement alarmée. Vous êtes venus en bateau? Alors partons, nous ramènerons du secours pour délivrer Jo.»

Il y eut un silence. Aucun des garçons ne se décidait à dire à Claude que son bateau avait été mis en pièces par Markhoff, pourtant, il fallait bien qu'elle sût la vérité ; en quelques mots, François lui résuma les événements.

Claude ne réagit pas. Ils demeurèrent silencieux durant quelques minutes. On n'entendait plus que la respiration de Dagobert.

« Ne pourrions-nous pas, lorsqu'il fera nuit, monter jusqu'à la cour et tâcher de franchir la grande grille ? Qu'en pensez-vous ? demanda Mick. De toute façon, nous ne pouvons pas nous échapper en descendant la falaise, puisque nous n'avons plus de bateau !

— Si nous attendions que Mesnil-le-Rouge et Markhoff soient partis dans leur hélicoptère ? suggéra François. Ce serait beaucoup plus sûr !

— Mais Jo ? riposta Mick. Ils la prennent pour Claude, n'est-ce pas ? Ils vont la pousser dans l'hélicoptère après l'avoir bâillonnée et ligotée ; je ne vois pas comment nous pourrions nous évader sans avoir délivré celle qui s'est sacrifiée pour notre cousine ! »

Ils discutèrent longuement sur la façon de libérer la gitane. Mais aucun des trois enfants ne trouva un plan réalisable. Le temps passait, ils avaient faim, ils avaient froid.

« Je me demande ce qui se passe là-haut dans la maison », grogna Mick.

Là-haut, dans la demeure mystérieuse, les événements se succédaient.

Markhoff était parti pour tuer Dagobert, comme son maître le lui avait ordonné, mais, lorsqu'il arriva dans la maison d'été, le chien n'était plus là ! Le bandit fut fort étonné ! Le chien avait été attaché et drogué. Maintenant la corde gisait par terre, et l'animal avait disparu!

Markhoff fit le tour de la maison d'été. Qui pouvait avoir délivré Dago? Il se dirigea ensuite vers la cabane où François et Mick étaient prisonniers. La porte était fermée à clef. Markhoff l'ouvrit.

«Ah! maudits gosses! Vous allez voir!» criat-il, mais il fut surpris : il n'y avait personne.

Là aussi la corde gisait sur le sol. Elle était coupée! Les captifs s'étaient enfuis!

Markhoff ne pouvait en croire ses yeux, il regarda tout autour.

«Qui a bien pu libérer le chien et les garçons? grogna-t-il. Que va dire Mesnil-le-Rouge?»

Markhoff regarda l'hélicoptère, prêt pour le départ. Il eut grande envie d'abandonner Mesnil-le-Rouge et de s'envoler seul, mais, se souvenant des colères et des méchancetés de celui-ci, il eut peur et changea d'avis.

«Il vaudra mieux partir avant qu'il fasse nuit, pensa-t-il. Il y a sûrement un inconnu dans la maison. Nous sommes en danger. Je vais avertir Mesnil-le-Rouge.»

Au moment où il allait entrer dans la grande salle, il aperçut deux hommes qui l'attendaient. Ils se tenaient dans l'ombre, et Markhoff fut incapable de les identifier tout de suite. Lorsqu'il s'approcha d'eux, il reconnut Antonio et Manolo.

«Que faites-vous ici? s'écria-t-il. On vous avait dit de surveiller la villa des Mouettes, afin que personne n'aille alerter la police.

— Oui, répondit Manolo, nous sommes

venus te dire que la cuisinière, Maria, est allée ce matin à la gendarmerie. Il y avait une petite fille avec elle. Les garçons ne semblaient pas être là.

— Naturellement! Ils sont ici! Ou tout au moins ils y étaient, grogna Markhoff, car ils viennent de disparaître. Quant à la police, nous savons qu'elle est en route et nous avons établi nos plans. Vous nous apportez des nouvelles un peu tardives! De toute façon, nous emmenons la fillette en hélicoptère avant que les gendarmes arrivent. Savent-ils qu'elle est ici?

— Nous n'avons aucun rapport avec la police! répondit Antonio furieux. Nous n'avons pas l'intention de nous trouver là lorsque les gendarmes arriveront, mais nous voulons de l'argent. Nous avons fait tout votre sale travail et vous ne nous avez payé que la moitié de ce que vous aviez promis, donnez-nous le reste!

— Demandez à Mesnil-le-Rouge, rugit Markhoff. Allez! Demandez-lui!

— Parfait, nous y allons! s'écria Manolo, dans un mouvement de colère. Nous avons fait tout ce qu'il nous a dit : volé les documents, kidnappé la gosse et son maudit chien — il m'a mordu, regarde ma main! — et nous ne serions pas entièrement payés? Eh bien, nous arrivons à temps! Ces beaux messieurs allaient s'envoler en hélicoptère et nous laisser ici nous débrouiller avec les gendarmes! Où est Mesnil-le-Rouge?

— Là-haut, répondit Markhoff. J'ai de mauvaises nouvelles pour lui. Il ne se réjouira pas de nous voir. Il vaut mieux que je lui parle le premier.

— Très malin! répondit Manolo. Mais si tu crois que tu vas nous jouer un tour de ta façon, tu te trompes. Nous allons avec toi.»

Ni lui ni Antonio n'aimaient Markhoff. Ils le suivirent dans l'escalier, jusqu'au bureau de Mesnil-le-Rouge. Celui-ci fouillait dans les papiers qui avaient été volés chez le père de Claude et il paraissait de fort mauvaise humeur. Lorsque Markhoff entra, il lui jeta les feuilles à la figure!

«Je n'ai pas le document que je voulais! Je garderai donc la fillette en otage jusqu'à ce que... Mais que veux-tu, Markhoff? Qu'est-il arrivé?

— Des ennuis! Premièrement, le chien s'est sauvé. Il n'était plus là lorsque je suis allé pour le tuer; deuxièmement, les garçons se sont enfuis aussi ; ils se sont échappés de la cabane, qui était pourtant fermée à clef ; troisièmement, il y a deux visiteurs pour vous : ils réclament de l'argent et viennent vous apprendre ce que vous savez déjà : c'est-à-dire que la police est à vos trousses ! »

Pour la circonstance, Markhoff vouvoyait le bandit.

Mesnil-le-Rouge entra dans une grande fureur. La rage faisait scintiller ses yeux. Il regarda durement Markhoff, Antonio et Manolo. Markhoff semblait mal à l'aise, mais les deux gitans le provoquaient avec insolence.

« Vous ! Vous osez venir quand je vous ai ordonné de rester là-bas ! hurla Mesnil-le-Rouge. Vous avez été payés, vous n'avez pas le droit de me demander encore de l'argent ! »

Personne n'entendit ce qu'il dit ensuite, car de l'étage au-dessus venaient des cris, des hurlements, des trépignements.

« C'est la petite, je suppose, grogna Markhoff, elle veut défoncer la porte. Elle qui était si calme, jusqu'à présent !

— Il vaut mieux la faire sortir maintenant et partir, décréta Mesnil-le-Rouge ; Manolo, va la chercher. Amène-la ici et tâche de la raisonner un peu.

— Va la chercher toi-même ! » répliqua Manolo.

Mesnil-le-Rouge regarda Markhoff, puis sortit immédiatement un revolver de sa poche.

« On ne discute pas mes ordres ! cria-t-il d'une voix soudain très calme et très froide. Jamais, vous entendez ? »

Manolo monta les escaliers quatre à quatre :

Antonio le suivit. Ils poussèrent les verrous de la porte et entrèrent. Antonio demeura immobile en découvrant la jeune captive, il se frotta les yeux, s'avança, la regarda de plus près.

«Bonjour, papa, dit Jo. Tu as l'air bien surpris de me voir!»

Chapitre 22

La ruse de Jo

« Jo !
s'écria Antonio.
Eh bien,
ça, alors ! »

Manolo intervint :

« Qu'est-ce que ça veut dire ? demanda-t-il rudement à Antonio. Que fait ta fille ici ? Qui l'a amenée ? Où est l'autre gosse, celle que nous avons kidnappée ?

— Comment veux-tu que je le sache ? répliqua Antonio. Jo, qu'est-ce que tu fais ici ? Parle ! Où est l'autre fillette ?

— Faites le tour de la pièce et regardez si vous la trouvez », répondit la gitane d'un ton léger.

Mais elle restait sur ses gardes. Les deux hommes fouillèrent la pièce. Manolo s'approcha d'une grande armoire.

« Elle doit être là-dedans, dit la gitane en riant. C'est toi qui as trouvé ! »

Les deux gitans ne savaient trop que penser

163

de tout cela. Ils étaient venus chercher Claude et avaient trouvé Jo! Que s'était-il passé? Ils n'arrivaient pas à comprendre! Ni l'un ni l'autre ne voulait redescendre dire la vérité à Mesnil-le-Rouge, aussi continuaient-ils à chercher fébrilement dans la chambre.

«Regardons bien partout, elle est sûrement cachée.

— Si je l'attrape, elle va recevoir un bonne raclée!» grogna Manolo qui ouvrait la porte de l'armoire.

Une voix furieuse résonna dans les escaliers.

«Manolo! Que fais-tu là-haut? Amène la gosse immédiatement!

— Elle n'est pas là! répliqua Manolo, hors de lui. Qu'as-tu fait d'elle? Elle est partie!»

Mesnil-le-Rouge monta les escaliers en courant et fit irruption dans la chambre. Dans la pénombre, il aperçut la gitane et grogna :

«Qu'est-ce que tu racontes? Elle est là. Tu es fou?

— Non, répondit Manolo, c'est toi qui es fou. Nous avions kidnappé la fille du savant et celle que nous trouvons ici n'est que Jo!»

Le bandit considéra Manolo. Etait-il idiot ou avait-il perdu la raison? Puis il regarda à nouveau Jo et ne remarqua pas de différence entre elle et Claude; mêmes cheveux courts, même nez en trompette, mêmes vêtements, il ne pouvait pas croire qu'il avait devant lui la fille d'Antonio.

Il continuait à croire que Manolo et Antonio voulaient le berner.

Mais Jo avait son mot à dire.

«Oui, je suis Jo! Claude est partie! Antonio,

mon père est venu pour me libérer, n'est-
ce pas?»

Antonio demeura stupide, ne sachant comment réagir.

Mesnil-le-Rouge était de plus en plus en
colère. La voix qu'il entendait n'était, en effet,
pas celle de Claude. Il crut alors qu'Antonio
avait substitué sa fille à l'autre enfant. Il courut
vers lui et le frappa violemment à la face.

«Tu as voulu être plus fort que moi, n'est-
ce pas?»

Antonio s'écroula sur le sol. Manolo vint
immédiatement à son secours. Jo regarda les
hommes lutter et haussa les épaules. Qu'ils se
battent donc! Ils l'avaient oubliée et elle s'en
réjouissait. Elle courut vers la porte, dégringola les escaliers, mais, à mi-chemin, elle
s'arrêta et remonta en courant; elle avait une
idée : elle tourna la clef dans la serrure et
poussa les verrous.

A l'intérieur, les
trois hommes
entendirent la
clef tourner, et
Manolo se rua
vers la porte.
«Elle nous a
enfermés,
elle a tiré les
verrous!
— Au secours!
Markhoff!»
hurla Mesnil-le-
Rouge écumant
de rage.

165

Markhoff se trouvait à l'étage inférieur; il entendit des cris et des coups violents dans la porte; il se demanda ce qui se passait et monta voir.

Jo était cachée dans l'autre pièce. Aussitôt qu'elle vit Markhoff s'approcher de la porte verrouillée, elle descendit les escaliers. Elle serrait très fort un objet contre son cœur.

C'était la grande clef de la pièce où elle avait emprisonné les bandits; personne ne pourrait les délivrer!

«Ouvre la porte, criait Mesnil-le-Rouge, la gosse s'est enfuie!

— La clef n'est pas là, répondit Markhoff. Cette maudite gamine a dû la prendre. Je m'en occupe!»

Courir après Jo était une chose, la retrouver en était une autre. Elle semblait s'être dissipée dans l'air. Markhoff fouilla en vain toutes les pièces et sortit dans la cour; il n'y avait personne. Au même instant, la gitane pénétrait dans la cuisine, car elle mourait de faim. Elle se rendit à l'office et prit soin de fermer à clef la porte de communication. Il y avait une petite fenêtre par laquelle il lui serait facile de s'enfuir en cas de danger. Jo fouilla dans les placards et s'installa pour manger. Elle avait trouvé un gros morceau de gruyère, du pain, du beurre, du pâté et un pot de confiture.

Lorsqu'elle se fut restaurée, elle se sentit beaucoup mieux. Puis elle pensa à ses amis qui devaient avoir bien faim eux aussi. La fillette s'empara d'un sac et le remplit de provisions. Si elle retrouvait les garçons et Claude, ils pourraient se rassasier.

Jo enfouit la grande clef dans le fond du panier. Elle était très fière. Mesnil-le-Rouge, Manolo et Antonio étaient captifs, cela la rassurait. Elle n'avait pas aussi peur de Markhoff que de Mesnil-le-Rouge, et pensait pouvoir lui échapper facilement.

La petite fille ne se sentait même pas triste en pensant à son papa. Elle ne l'aimait pas et ne le respectait guère, car il ne se comportait pas comme un vrai père.

Soudain, entendant Markhoff entrer dans la cuisine, elle se prépara à sortir par la fenêtre si jamais il enfonçait la porte, mais il n'en fit rien. Il s'éloigna en jurant.

Il était temps de repartir. Jo ouvrit doucement la porte de l'office. A cet instant, une vieille femme, venue sans doute de la cour, entrait dans la cuisine en portant un paquet de linge. La servante demeura clouée sur place en voyant la gitane devant elle...

«Qui êtes-vous?» balbutia-t-elle.

Mais Jo était déjà sortie de la pièce et se trouvait dans le hall d'entrée; elle entendait Markhoff à l'étage au-dessus, claquant les portes et grommelant. Elle souriait et savourait sa victoire.

Elle sortit tranquillement par la porte principale. Maintenant, il fallait retrouver les autres. Ils étaient sûrement encore dans les grottes. Jo eut du mal à descendre les escaliers du souterrain car elle n'avait pas de lampe. Elle n'avait pas peur, mais elle poussa un petit cri de douleur, car elle était pieds nus et l'arête un peu vive d'une pierre la blessa.

Les trois autres, François, Mick et Claude, étaient toujours assis au même endroit, Dagobert au milieu d'eux. François avait remonté le souterrain afin de voir s'ils pouvaient s'échapper, mais il avait aperçu la vieille femme apportant le linge.

D'un commun accord, ils avaient tous décidé d'attendre la nuit pour partir. A ce moment-là, Dagobert serait peut-être plus réveillé et leur viendrait en aide. Soudain le chien jappa. Claude le fit taire ; ils écoutèrent tous...

« François, Mick, où êtes-vous ? J'ai perdu mon chemin !

— C'est Jo ! » s'écria Mick.

Il alluma sa lampe.

« Nous sommes là ! Comment t'es-tu échappée ? Qu'est-il arrivé ?

— Je vous raconterai. »

Elle s'assit auprès d'eux, le visage brillant de joie.

« Le chemin n'est pas commode, sans lumière. C'est pourquoi je vous ai appelés. Qui veut du pain et du fromage ?

— Comment ? Que dis-tu ? » interrogèrent les trois affamés ; le chien lui-même leva la tête et commença à renifler le panier de Jo.

La gitane rit et sortit ses provisions.

« Jo, tu es la huitième merveille du monde ! dit Mick. Mais qu'y a-t-il encore au fond du panier... ? »

La gitane brandit une énorme clef.

« Regardez, j'ai enfermé Mesnil-le-Rouge, Antonio et Manolo dans le donjon. Voilà la clef. Qu'en dites-vous ? »

Chapitre 23

Markhoff
les poursuit

Claude
s'empara
de la clef et
la regarda
en souriant.

«Jo, c'est la clef? Et tu les as enfermés à l'intérieur! C'est formidable! Tu es merveilleuse!

— Oui, répéta Mick, Jo est extraordinaire. Je n'ai jamais rencontré une fille comme toi dans ma vie!»

Il lui donna une gentille bourrade, et Jo eut un sourire de fierté.

«C'était facile! dit Jo, les yeux brillants de joie. Tu me crois maintenant, Mick, n'est-ce pas? Vous ne serez plus méchants avec moi, ni les uns ni les autres?

— Bien sûr que non! s'exclama François. Tu es notre amie pour toujours.

— Et l'amie de Claude? demanda la gitane.

— Bien sûr, répondit celle-ci. Je te demande pardon pour toutes les sottises que je t'ai dites ; tu es aussi courageuse qu'un garçon. »

C'était le plus beau compliment que Claude pût faire à une fille. Jo cligna des yeux.

« J'ai fait tout cela pour Mick, avoua-t-elle, et la prochaine fois, je le ferai aussi pour toi, Claude.

— J'espère bien qu'il n'y aura pas de prochaine fois, s'écria Claude horrifiée. Je peux dire que je n'ai pas connu une seule minute de paix durant ces derniers jours. »

Le chien leva soudain la tête, et se frotta doucement contre les genoux de Jo.

« Regarde, il me reconnaît ! s'écria celle-ci. Il va mieux, n'est-ce pas, Claude ? »

Claude, d'un geste très doux, replaça la tête de Dagobert sur ses genoux. Elle avait maintenant beaucoup d'amitié pour la gitane, mais pas au point de laisser son chien lui manifester tant de sympathie.

« Oui, il va mieux, dit-elle en caressant Dago. Il a mangé la moitié de mon petit pain. Mais il se méfie maintenant ; il sait qu'il a été drogué, pauvre vieux Dago ! »

Ils se sentaient tous rassérénés. Pourtant François regarda sa montre.

« Je me demande ce qu'ils font là-haut. »

Trois bandits étaient toujours enfermés. Markhoff n'avait sûrement pas pu défoncer la porte qui était très lourde.

Les deux mécaniciens de l'hélicoptère étaient venus aider Markhoff, mais la porte résistait toujours. Rien ne pouvait l'ébranler.

Antonio et Manolo surveillaient Mesnil-le-

Rouge qui faisait les cent pas dans la pièce comme un lion en cage; ils se réjouissaient d'être deux contre lui, car il était déchaîné et capable de commettre n'importe quel crime.

A l'extérieur, Markhoff et les deux mécaniciens Charles et René, s'inquiétaient. Les gendarmes n'étaient pas encore arrivés (ils n'arriveraient d'ailleurs pas, car Maria n'avait pas pu leur dire que François et Mick étaient partis à la recherche d'un homme appelé Mesnil-le-Rouge, puisqu'elle n'en savait rien!).

Mais Mesnil-le-Rouge et Markhoff redoutaient l'arrivée de la police. Si seulement ils parvenaient à s'enfuir avec l'hélicoptère que les mécaniciens avaient réparé!

«Markhoff, emmène Charles et René dans les grottes, ordonna Mesnil-le-Rouge. Les enfants y sont sûrement cachés! Ils ne peuvent sortir d'ici puisque la grille est verrouillée et le mur beaucoup trop haut pour qu'on y grimpe. Attrapez-les et tâchez de trouver la clef!»

Markhoff et ses deux compagnons s'élancèrent; ils traversèrent la cour, descendirent les escaliers du souterrain. Leurs pas résonnaient dans le tunnel rocheux. Ils arrivèrent enfin dans la grotte. Il n'y avait personne; les enfants, entendant du bruit, s'étaient glissés par la trappe dans l'autre cave. Ils avaient traversé la grotte hantée de chauves-souris et se trouvaient maintenant à mi-hauteur de la falaise.

«Impossible de nous cacher!» dit François en retournant dans la grotte. Là, au moins, personne ne pouvait les voir.

Il chercha, en braquant sa lumière, quelque

anfractuosité rocheuse où se tapir. Au-dessus de lui, la paroi offrait un renfoncement. Il y hissa Claude et Dagobert, encore somnolent, et Mick grimpa ensuite derrière Claude. François trouva une autre cachette, tandis que Jo se blottissait dans une faille et, en hâte, recouvrait son corps de sable. François admira la ruse de la petite fille. Mais, hélas! ce fut elle qui fut découverte, par hasard : Markhoff buta contre elle. Charles, René et lui venaient d'arriver dans la caverne. C'est en cherchant à l'éclairer avec sa lampe que Markhoff marcha lourdement sur la main de Jo qui ne put retenir un gémissement. Alors, il attrapa la gitane, l'arracha à son nid de sable!

« Voilà celle que je cherche, dit-il aux autres, elle a pris la clef. » Et bousculant la fillette : « Où est-elle? Demanda-t-il. Donne-la-moi ou je te précipite du haut de la falaise! »

François était épouvanté à l'idée que Markhoff allait jeter la petite fille dans la mer. Il se préparait à courir à son secours, lorsqu'il entendit Jo parler.

« C'est bon, dit-elle, lâche-moi, espèce de brute, voilà la clef. Va délivrer mon père avant que la police arrive, je ne veux pas qu'il soit arrêté. »

Markhoff poussa une exclamation de triomphe et arracha la clef de la main de la gitane.

« Maudite gosse! Tu vas rester là avec les autres, vous ferez tous un long séjour dans ces grottes, car nous allons pousser un énorme rocher sur la trappe et vous serez prisonniers. Vous ne pourrez vous échapper ni par en haut ni par en bas. Et si vous essayez de vous enfuir à la nage, les vagues vous rejetteront contre la falaise.»

Les deux autres hommes ricanèrent.

«Bonne idée, dit l'un, ils seront emmurés vivants et personne ne le saura. Venez vite, nous n'avons pas de temps à perdre. Si Mesnil-le-Rouge n'est pas bientôt délivré, il va devenir fou.»

Ils repartirent vers le souterrain et les enfants écoutèrent décroître leurs pas.

François sortit de sa cachette.

«Quelle histoire! dit-il. Si ces hommes bouchent vraiment la trappe, nous ne pourrons plus nous enfuir. La mer est trop agitée pour que nous puissions nous sauver à la nage!

— Je vais regarder s'ils ont déjà bloqué l'ouverture, dit Mick. Ils ont peut-être voulu seulement nous faire peur.»

Hélas! lorsque François et Mick éclairèrent le plafond, ils virent le rocher qui fermait la trappe. Impossible de ressortir!

Tristement, en silence, ils vinrent s'asseoir sur le rebord de la falaise, dans la lumière du soleil couchant.

«Quel dommage que la pauvre Jo ait été découverte! dit Claude. C'est épouvantable qu'elle ait dû leur donner la clef, maintenant Mesnil-le-Rouge et les autres seront en liberté!

— Mais non, dit Jo. Je ne leur ai pas donné la clef de la tour, j'avais aussi sur moi celle de la cuisine.

— Dieu soit loué! s'écria François. Tu es fantastique, Jo! Mais tu possédais donc la clef de la cuisine?»

Elle leur raconta comment elle s'était confortablement installée pour manger dans l'office...

«Tu es vraiment astucieuse!»

Jo souriait.

«Les bandits sont toujours enfermés là-haut!» dit-elle.

Mais soudain, Mick émit une pensée encore plus désagréable que les précédentes.

«Ne nous réjouissons pas trop vite, dit-il. Lorsque Markhoff et ses complices verront qu'ils ont été dupes, ils reviendront. Et qu'est-ce qui nous arrivera!»

Chapitre 24

De l'inattendu...

La pensée que les bandits pouvaient revenir, en proie à la fureur, affolait les enfants.

« Dès que Markhoff aura essayé la clef, il verra bien que Jo s'est moquée de lui, dit Claude.

— Il reviendra ici fou de rage! Que faire? demanda François. Nous cacher encore une fois?

— Non, dit Mick, sortons. Descendons le long de la falaise jusqu'à la mer, je me sentirai plus en sécurité que dans cette grotte. Peut-être trouverons-nous une meilleure cachette dans les rochers de la côte.

— Quel dommage qu'ils aient détruit mon bateau! soupira Claude. Comment allons-nous emmener Dagobert? »

Ils se concertèrent. Jo se souvint de la corde qui leur avait servi à grimper et qu'elle avait laissée au creux d'un rocher.

«J'ai une idée», dit-elle.

Son esprit travaillait vite.

«Toi, François, tu vas descendre le premier, ensuite Mick, et puis Claude. Alors je remonterai la corde, j'y attacherai Dagobert et je le ferai descendre jusqu'à vous. Il est tellement endormi qu'il n'aura même pas conscience du danger!

— Et toi? demanda Mick. Tu vas rester la dernière? Tu seras toute seule sur le rebord de la falaise. Et si les hommes reviennent...

— Ça m'est égal, dit Jo, je n'ai pas peur. Dépêchez-vous.»

François descendit le premier en s'aidant de la corde, puis ce fut le tour de Mick, à qui l'angoisse donnait du courage. Il fallait fuir à tout prix! Claude descendit ensuite; elle n'aimait pas particulièrement ce genre de sport; chaque fois qu'elle regardait la mer au-dessous d'elle, elle avait le vertige. Enfin elle parvint au bas de la falaise.

Pour le chien, ce fut plus difficile. Claude attendait avec anxiété. Jo s'efforçait d'attacher Dagobert de telle façon qu'il ne coure aucun risque, mais il était bien lourd... Elle parvint tout de même à le lier solidement et elle appela les autres.

«Attention, le voilà! Pourvu qu'il ne se mette pas à gigoter! Il risquerait d'être projeté contre les rochers.»

Le pauvre Dagobert n'aima pas du tout cette expérience. Se trouver balancé dans l'air ne

176

lui plut guère. Mais enfin, tout se passa bien. Claude le reçut dans ses bras et le détacha.

«A mon tour! J'arrive!» s'écria Jo.

Ses doigts de pied s'accrochaient aux arêtes de pierre, ses mains trouvaient des aspérités où s'agripper. Elle descendait très vite, sans même s'aider de la corde. Les enfants la regardaient avec admiration. Bientôt elle fut au milieu d'eux.

«Et maintenant, demanda Jo, qu'est-ce qu'on fait?

— On cherche une cachette», répondit François.

Ils se séparèrent en deux groupes pour explorer la crique rocheuse. La mer agitée se brisait en vagues écumantes contre les récifs. Il était certainement impossible de nager dans ces eaux tumultueuses.

Tout à coup, Claude poussa un cri :

«François, viens voir ce que j'ai trouvé!»

Ils accoururent tous autour de Claude. Elle montrait du doigt une sorte d'épave, couverte de varech, échouée sur les galets.

«Un bateau! Il est couvert de varech, mais c'est un bateau!

— C'est *ton* bateau! cria Mick qui avait commencé à le dégager. Markhoff ne l'a pas détruit. Il n'a pas pu le trouver, nous l'avions recouvert d'algues. Il a simplement menti à Mesnil-le-Rouge en lui disant qu'il avait exécuté son ordre.

— Formidable! criait Jo, en battant des mains. Nous sommes sauvés.»

Les quatre enfants étaient si contents qu'ils bondissaient sur place et s'administraient de grandes claques joyeuses. Ils pouvaient s'enfuir!

Mais un cri résonna soudain. Ils levèrent la tête. Markhoff et les deux hommes se tenaient sur le rebord de la falaise, les menaçant du poing.

«Vous êtes pris! hurlaient-ils.

— Vite, vite! dit François, poussant le bateau à la mer. Aidez-moi, poussez fort!»

Markhoff descendait déjà le long de la falaise, s'aidant de la corde restée en place.

Le bateau était presque à flot lorsqu'un événement inattendu survint : Dago, toujours somnolent, glissa et tomba à la mer.

«Il va se noyer!» cria Claude.

François et Mick ne pouvaient pas interrompre leurs manœuvres. Ils voyaient que Markhoff serait bientôt près d'eux. Claude appelait désespérément son chien.

Mais l'eau eut un curieux effet sur celui-ci. Le froid le réveilla tout à fait. Il se mit à nager vigoureusement vers Claude qui le repêcha par la peau du cou. Le bateau glissait maintenant dans l'eau. François suppliait sa cousine de se hâter. Jo était déjà à bord avec Mick.

François jeta un regard désespéré vers Markhoff qui descendait toujours. Soudain, Dagobert s'échappa des mains de Claude et courut vers la falaise en aboyant. Markhoff se trouvait tout près du sol lorsqu'il entendit le chien aboyer. Il essaya de remonter en vitesse pour se mettre hors d'atteinte.

« Ouah! Ouah! hurlait Dagobert furieux. Grrrr...

— Attention, Markhoff! hurla un des hommes. Ce chien est enragé!»

Markhoff avait peur. Ses genoux glissaient le long de la falaise. Il ne parvenait plus à grimper. Cet incident faisait gagner du temps aux enfants.

« Viens, Dagobert! appela Claude. Viens maintenant!»

Le bateau était prêt, mais Dagobert n'avait qu'une idée : mordre les mollets du bandit!

« Dago! Dago!»

Enfin le chien obéit, après avoir jeté un regard de regret sur les jambes de Markhoff.

Lorsque celui-ci sauta enfin sur la grève, il était trop tard. Le bateau voguait sur les vagues. En quelques minutes, il avait disparu derrière le haut rocher du promontoire. François et Mick ramaient vigoureusement. Claude embrassait son chien, Jo le caressait.

« Il va bien, il est guéri! s'exclamait Claude.

— L'eau froide l'a sauvé. Pauvre vieux Dago!» disait la gitane.

Soudain le chien aboya joyeusement, il avait trouvé au fond du bateau le paquet de sandwiches que les enfants avaient apporté le matin.

«Que c'est bon d'entendre Dagobert japper et de le voir remuer la queue!»

Dago avait retrouvé le bonheur de vivre, et sa maîtresse qu'il aimait tant.

«Rentrons vite à la maison, dit François. Annie sera si contente de nous voir. Quelle aventure nous avons vécue!»

Chapitre 25

Tout va bien

Il faisait nuit lorsque le bateau de Claude entra dans la baie de Kernach. Les enfants étaient si fatigués, qu'ils avaient l'impression d'être partis depuis un mois. Les filles avaient ramé pour relayer les garçons. Dagobert remontait le moral de chacun par ses joyeux aboiements, et ses gentilles caresses.

«Il n'a pas cessé de remuer la queue pendant tout le voyage. Il doit vraiment être content de se sentir guéri!» dit Claude.

Une mince silhouette apparut sur la plage, dans l'ombre. C'était Annie. Elle les appela d'une voix tremblante :

«C'est vous? Je vous ai attendus toute la journée. Tout va bien?

— Oui, nous ramenons Claude et Dagobert», cria Mick d'une voix triomphante tandis que le bateau abordait.

Ils sautèrent tous sur le sable ; Annie aida à tirer l'embarcation sur la plage.

« Je ne resterai plus jamais toute seule à vous attendre, dit-elle, j'aime encore mieux avoir peur près de vous.

— Ouh... » dit Dago, en remuant la queue.

Lui non plus ne voulait pas qu'on le laissât seul. Il souhaitait partager toutes les aventures des enfants.

Ils rentrèrent, marchant lentement, ils étaient très fatigués. Maria les attendait sur le seuil et pleura de joie lorsqu'elle vit Claude.

« Claude ! Vous me ramenez ma petite Claude, enfin ! Oh ! méchants enfants ! Vous êtes partis toute la journée et je ne savais même pas où vous étiez ! Je me suis fait du souci tout le temps. Claude, comment te sens-tu ?

— Très bien, dit Claude qui tombait de sommeil. Je vais manger un peu et aller me coucher.

— Mais où avez-vous été toute la journée ? Qu'avez-vous fait ? demanda Maria en mettant la table. J'étais si inquiète, que je me suis rendue à la gendarmerie. Je me sentais si bête. Je ne pouvais pas dire où vous vous trouviez. Tout ce que j'ai pu raconter c'est que vous étiez partis à la recherche d'un homme appelé "Rouge" et que vous aviez pris le bateau de Claude. Les gendarmes ont longé la côte dans un canot automobile et ils ne vous ont pas vus !

— Non, notre bateau était bien caché, dit Mick ; nous aussi, d'ailleurs ! Si bien cachés, que nous aurions pu rester là-bas toute notre vie ! »

Le téléphone sonna. François sursauta.

182

«Oh! la ligne est rétablie? Je téléphonerai à la gendarmerie lorsque vous aurez répondu, Maria.»

Mais c'était justement la gendarmerie qui appelait.

«Nous serons là dans un quart d'heure», dit le brigadier, heureux d'apprendre que les enfants étaient revenus sains et saufs.

Un peu plus tard, les cinq enfants et Dagobert dévoraient un excellent repas.

«Continuez! dit le brigadier en entrant. Nous allons bavarder, tandis que vous mangez.»

Chacun expliqua ce qu'il savait. D'abord, Claude, puis Jo, puis Mick et François.

Le brigadier, d'abord surpris, rassembla enfin toutes ces informations; il commençait à y voir clair.

«Est-ce que mon père ira en prison? demanda Jo.

— Je le crains! répondit le gendarme.

— Pauvre Jo! soupira Mick.

— Cela m'est égal, répondit celle-ci. Je suis bien plus heureuse quand il n'est pas là; je n'ai pas à faire les vilaines choses qu'il me commande.

— Nous allons voir si nous pouvons te caser dans une bonne maison, dit un gendarme, avec bonté. Tu as eu une vie bien rude, ma petite Jo, il faut qu'on s'occupe un peu de toi.

— Je ne veux pas aller dans un centre pour jeunes délinquants, répondit la gitane, affolée.

— Je ne le permettrai pas, décréta Mick. Tu es l'une des plus chic filles que j'aie connues. Nous trouverons quelqu'un qui s'occupera de toi, quelqu'un de très bon comme... comme...

— Comme moi», dit Maria qui écoutait.

Elle passa un bras autour des épaules de la gitane et lui sourit.

«J'aimerais bien vivre avec quelqu'un comme vous, dit Jo. Je ne serais pas méchante; je voudrais aussi voir Mick et vous tous de temps en temps.

— Bien sûr, si tu es gentille, répondit Mick en souriant, mais fais attention : si j'apprends que tu passes par les fenêtres pour entrer chez les gens, je ne te reverrai jamais!»

Jo rit; elle était heureuse, elle se souvint de ce qu'il y avait dans son panier, y plongea la main, en sortit une grosse clef.

«Voilà pour vous, dit-elle au brigadier. C'est la clef de la tour, j'espère que les bandits sont toujours enfermés, vous n'aurez qu'à les cueillir. Ils vont avoir une drôle de surprise lorsqu'ils vous verront entrer!

— Beaucoup de gens auront des surprises! dit le brigadier qui sortait un bloc-notes et un stylo. Mademoiselle Claude, vous avez de la chance de n'avoir subi aucun mal, vous et votre chien! Nous avons été mis en rapport avec un ami de votre père, tandis que nous recherchions les documents volés. Le savant lui avait confié son carnet de notes sur l'Amérique avant de partir en voyage, Mesnil-le-Rouge n'a donc aucun papier de valeur. Tous ses méfaits auront été inutiles.

— Que savez-vous de ce Mesnil-le-Rouge? demanda François; il m'a semblé fou!

— Si cet homme est bien celui que nous recherchons depuis longtemps, il est en effet un peu fou. Nous serons contents de l'avoir sous les verrous, ainsi que Markhoff, qui n'est pas aussi intelligent que Mesnil-le-Rouge, mais qui est très dangereux.

— J'espère qu'il ne s'est pas échappé en hélicoptère, dit Mick. Il devait partir ce soir!

— Nous serons là-bas dans une heure ou deux, dit le brigadier. Je vais téléphoner, si vous le permettez.»

Toute cette aventure allait se terminer cette nuit même. Les voitures des gendarmes stoppèrent devant la maison de Mesnil-le-Rouge ; on défonça la grille, puisque personne ne venait ouvrir. L'hélicoptère était toujours dans la cour; il semblait avoir subi des dommages. Markhoff et les deux mécaniciens avaient essayé de partir, mais ils avaient eu un ennui mécanique, l'appareil était retombé au sol après avoir décollé.

La vieille servante soignait les trois hommes. Markhoff était blessé à la tête et semblait fiévreux.

«Et Mesnil-le-Rouge? demanda le brigadier à Markhoff, est-il toujours enfermé?

— Oui, répondit Markhoff. Et tant mieux! Il vous faudra briser la porte si vous voulez l'ouvrir, car elle résiste à tout!

— Inutile», répondit le brigadier, et il montra la clef.

Markhoff le regarda furieux.

«Maudite gosse! Elle m'avait donné la clef de la cuisine! Lorsque je la retrouverai, elle me le paiera cher!

— Vous ne la retrouverez pas avant bien

longtemps, Markhoff, dit le brigadier. Je vous arrête. »

Mesnil-le-Rouge, Manolo et Antonio, toujours enfermés, écumaient de colère. Mais leur vilain jeu était fini, et il ne fallut pas longtemps pour les embarquer dans la voiture de la police.

« Nous avons fait un beau butin, dit un gendarme : trois bandits, soigneusement mis sous clef, pour que nous n'ayons plus qu'à les arrêter.

— Qu'adviendra-t-il de la petite gitane ? demanda un autre. Elle n'a pas eu beaucoup de chance dans la vie et elle semble tellement intelligente !

— Jo aura sa chance maintenant ! répondit le brigadier. Elle a sans doute quelques défauts, mais on l'éduquera bien et elle deviendra une gentille jeune fille. »

Jo dormait dans la chambre de Maria, les autres étaient dans leurs lits. Mais ils ne semblaient pas avoir sommeil. Dagobert courait d'une chambre à l'autre, frétillant de bonheur.

« Dago, si tu sautes encore sur mon lit, je te mets à la porte ! » gronda Claude.

Mais, naturellement, elle n'en fit rien ; elle était bien trop heureuse d'avoir retrouvé son chien.

Soudain les enfants entendirent la sonnerie du téléphone et sursautèrent :

« Qu'est-ce que cela peut bien être encore ? »

François se précipita pour répondre.

Une voix dit : « Kernach 011 ? Un télégramme pour vous, réponse payée. Je vous en donne lecture.

— J'écoute, dit François.

— Texte : "VOICI NOTRE ADRESSE : HÔTEL CHRISTINA — SÉVILLE — ESPAGNE. RÉPONDEZ PAR TÉLÉGRAMME POUR DONNER NOUVELLES. ONCLE HENRI."

Les enfants se pressaient autour de François qui leur répéta le message.

«Qu'allons-nous répondre? demanda-t-il. BEAUCOUP D'AVENTURES BIEN TERMINÉES? Non, n'est-ce pas? Nous n'allons pas inquiéter notre oncle et notre tante maintenant que tout est fini.

— Dis ce que tu veux... Quelque chose de gentil... répliqua Mick.

— Bien.»

François reprit le téléphone.

«Allô! voici la réponse au télégramme, je vous donne le texte : "VACANCES AMUSANTES, BEAUCOUP DE BONHEUR, TOUT VA BIEN. FRANÇOIS."

— Tout va bien, répéta Annie, alors qu'ils montaient se coucher tous ensemble, voilà ce que j'aime entendre à la fin d'une aventure : tout va bien.»

Table

IMPRIMÉ EN FRANCE PAR BRODARD ET TAUPIN
Usine de La Flèche, 72200.
Dépôt légal Imp. : 6711N-5 — Edit : 6247.
20-20-8522-11-3 — ISBN : 2-01-018430-0.
Loi n° 49-956 du 16 juillet 1949 sur les publications destinées à la jeunesse.
Dépôt : août 1996.

THE WORLD'S BELLYBUTTON

Tanya Landman is the author of many books for children, including *Waking Merlin* and its sequel *Merlin's Apprentice*, and *Flotsam and Jetsam* and its sequel *Flotsam and Jetsam and the Stormy Surprise*. Tanya says, "I've always loved the Greek myths and one morning I was thinking about the gods. Being immortal they can't have just died out when people stopped believing in them. I started wondering what had happened to them, and where they were now. *The World's Bellybutton* is the result." Since 1992, Tanya has been part of Storybox Theatre, working as a writer, administrator and performer – a job which has taken her to festivals all over the world. She lives with her family in Devon.

Books by the same author

Waking Merlin

Merlin's Apprentice

Flotsam and Jetsam

Flotsam and Jetsam and the Stormy Surprise

THE
WORLD'S
BELLYBUTTON

TANYA LANDMAN

ILLUSTRATED BY

ROSS COLLINS

WALKER
BOOKS

This is a work of fiction. Names, characters, places and incidents are
either the product of the author's imagination or, if real, are used fictitiously.

First published 2007 by Walker Books Ltd
87 Vauxhall Walk, London SE11 5HJ

2 4 6 8 10 9 7 5 3 1

Text © 2007 Tanya Landman
Illustrations © 2007 Ross Collins

The right of Tanya Landman and Ross Collins to be identified as author
and illustrator respectively of this work has been asserted by them in
accordance with the Copyright, Designs and Patents Act 1988

This book has been typeset in Stempel Schneidler and Times

Printed and bound in Great Britain
by Creative Print and Design (Wales), Ebbw Vale

British Library Cataloguing in Publication Data:
a catalogue record for this book
is available from the British Library

ISBN 978-1-4063-0089-5

www.walkerbooks.co.uk

For Roderick, Louise, Lex,
Oscar, Wesley and Hugo

omphalos *(navel, or bellybutton)*

According to Greek legend, Zeus, the king of the gods, sent two eagles flying from opposite ends of the earth to find its exact centre. The point at which the birds met was marked with a stone – the omphalos, or navel, of the world.

In later years, a temple was built around the omphalos. Cradled by the mountains at Delphi, the temple became the most important religious site in ancient Greece. At this temple it was believed that direct communication with the gods was possible.

THE STRANGE
SWAN

When the fattish, greyish, balding swan waddled into his father's taverna, William Popidopolis thought it must be an unusual pet. Or perhaps there was a quaint local custom which allowed oversized poultry to mingle with the diners. When the swan pinched the skin of his right thigh with its beak, William was indignant, annoyed and in pain. But when it started talking to him, William realized that something very strange was going on.

It was the Easter holidays and William Popidopolis (Billy to his friends, Willy Pops or Popping Willy – or worse – to his enemies) had gone to Greece with his mother, Kate. She had been a single parent for as long as he could remember.

William was the result of his mum's holiday romance with Nikos Popidopolis, owner of the only taverna on the tiny Greek island of Spitflos. His mum had gone backpacking when she was a student and had meant to travel all around Europe. She got as far as Spitflos and fell in love – first with the island, and then with Nikos. She never got any further. William's mum and dad were married, and Kate had intended to spend the rest of her life on Spitflos. She soon discovered, however, that summer on a Greek island was one thing. Winter was quite another. Balmy nights – heady with scented blossom – gave way to biting winds and raging seas. The steady stream of happy, smiling tourists that had flowed through the taverna and made Kate feel as though she was at an endless party finally slowed, and then dried up completely. Kate started to miss her friends. She missed her family. By the time baby William was born, she was desperate to get back to England.

There had been no tug-of-love. William's dad had taken one look at the red-faced, bawling baby and said, "OK. No problem. You go back. I no stop you."

All he had given William was his stupid surname. William had spent hours wishing his mother had fallen for someone with a sensible name like Brown or Smith. He even begged her to use the surname she had before she married. Peebles wasn't ideal, but anything was better than Popidopolis. His mum had stubbornly refused. She liked having an unusual name. "It's nice," she said. "Makes us different. There's no way I'm going to change it."

So William, who just wanted to blend in with everyone else, was stuck with a stupid surname and a mother who insisted he call her Kate instead of Mum, and who dyed her hair pink whenever the mood took her.

William had never met his dad. Nikos had never even bothered to send him a birthday card or a Christmas present. He didn't feature in William's life at all – until one day, when William was ten years old, an envelope bearing a Greek stamp plopped onto the doormat.

Nikos had written Kate a long letter, expressing his desire to "behold my son once again. Flesh of my flesh, bone of my bone, blood of my blood."

"I don't think I really want anyone to behold me, thanks," William, embarrassed by the flowery language, had joked when Kate read it out to him over breakfast. But his mum didn't laugh in response. She didn't even manage a smile. Instead, her lips contracted into a tight frown.

"Why now?" she wondered aloud. "I mean, all these years he hasn't bothered... It's a bit odd, isn't it?"

William – for whom the workings of the adult mind were as mysterious and inexplicable as the Bermuda Triangle – shrugged. "Maybe it takes him a long time to get round to things. Perhaps he's a late developer." Like me, he thought suddenly. Is that where I get it from?

Kate looked narrowly at William. "He's offering to pay for the flights and everything," she said slowly. "It's a lovely island ... your birthplace." Kate sighed and chewed her lip for a moment.

12

"What do you think, Will? Should we go?"

There was an odd sensation in William's stomach, as if a whole flock of butterflies had taken flight. He nodded, and heard himself saying, "Yeah... Let's go. Why not?"

William had never been abroad, and that alone would have been a good reason to accept the invitation. But he was also burning with curiosity to find out what his father was like. William certainly didn't take after his mum. Kate was quick-witted and fast-talking, with a vibrant imagination. William felt slow, dull and boring in comparison. And he didn't look anything like her either: she was tall with dead straight blonde hair (when it wasn't dyed pink and spiked up with a vat of hair gel). William, on the other hand, was small with dark copper-coloured hair that curled wildly and uncontrollably, as if an energetic toddler had scribbled all over his head. Kate's eyes were green; William's were so dark brown that they looked black from a distance. He supposed he must have inherited them from his father. Now would be his chance to find out.

*   *   *

William and his mum flew to Athens on the morning of Good Friday, a couple of days after school had broken up for the Easter holidays. It was the first time William had been on an aeroplane and he found the whole experience fantastically exciting. The hustle and bustle of the airport lounge was unlike anything he'd ever experienced: it was thrilling. The air buzzed with possibility. Every time the Tannoy pinged and announced the departure of another flight to an exotic location William felt a tingle of anticipation. He watched the smartly dressed business travellers coolly drinking their coffee and wondered how they could possibly look so bored when they were about to fly across the world.

When they boarded the plane, William's mum pushed him ahead of her into the window seat. "Go on," she said, elbowing the other passengers aside. "It's your first flight. You just *have* to have a good view. It's compulsory."

William was practically bursting with excitement. The engines started whooshing and roaring, and when the plane accelerated down the runway and threw him back against his seat, the sheer power of the machinery left him gasping with admiration. Then came the magical moment of take-off, when William felt himself being lifted into the air, climbing towards the clouds, while the cars below were reduced to the size of toys. William even enjoyed the airline food: he loved the ingenuity of the neat little plastic packages and fold-down trays. It was fantastic.

When they stepped out of the plane in Athens later that afternoon, the heat was astonishing. William felt like he was being blasted by a gigantic hairdryer. He kept expecting it to stop – to be switched off – but the heat was relentless. After they struggled sweatily out of the airport, he and his mum squeezed onto an overcrowded train which lurched and jolted all the way to the port of Piraeus. The final stage of their journey was a four-hour ferry crossing to the tiny island of Spitflos.

William found the blue sky, clear water and brilliant light almost blinding. Kate had refused to buy him sunglasses on the grounds that they were too expensive and he'd only end up sitting on them. "Anyway," she'd said firmly, "you're half Greek, and you don't see Greek peasants going around in shades – you won't need them." William squinted at the turquoise sea and hoped he'd soon adjust to the brightness: at this rate he was going to get a headache.

The warmth and sunshine had a spectacular effect on Kate.

Even though she'd agreed to the trip, his mum had been distinctly edgy about the whole thing. As the plane had flown nearer and nearer to Athens, her shoulders had started to rise and pinch together with tension. By the time they'd reached Piraeus, Kate's shoulders were almost touching her ears. William knew her moods and suspected that his mum was intending to give his dad a verbal bashing about parental responsibilities the minute she set foot on Spitflos. Or so it had seemed. Before she drank the ouzo.

There was a small refreshments counter on the ferry. Shortly after they'd boarded Kate bought William a can of Coke and herself a small glass of clear liquid that smelt like liquorice allsorts. "Ouzo," she muttered grimly to herself. "This should fortify me a bit. And later I'll tell Nikos what's what." She took one sip, and the frown line between her eyebrows relaxed. With two, it melted away completely. By the end of the glass, Kate was transformed. She looked radiant.

It was odd watching her: as the ferry ride progressed it seemed to William that Kate's face was like a film playing backwards. Work problems and money worries seemed to peel off her, layer by layer. By the time Spitflos appeared on the horizon, she was looking – and behaving – as if she were about ten years younger.

"There it is!" she cried, leaping out of her chair and sending the remains of her second glass of ouzo splashing onto the deck.

It was the last thing she said to William. Instead of pushing him ahead of her like she usually did so that he could get a good view, she ran to the railing on her own. After that, Kate became totally engrossed in her own happy world, gazing rapturously at the island – a mountainous dome of green in a turquoise sea. When the ferry rounded the headland and drew into the tiny bay, everyone on board gasped at the beauty of the scene. The ferry lurched heavily as tourists stampeded to one side, their cameras clicking like excited beetles.

William stood on one of the chairs that were nailed to the deck so that he could see over people's heads. Little white houses spilled down the side of the mountain like milk from a jug. At the bottom, a pretty fishing village nestled around an ancient harbour. Painted wooden boats bobbed in the clear water, rubbing shoulders with one or two flashy yachts.

It was amazingly pretty, and William could see exactly why Kate had fallen in love with it all those years ago. But he looked at the island with something like suspicion. It was a bit like meeting a new teacher and not being able to tell if you were going to like them or hate them but knowing you were stuck with them no matter how you felt.

William was looking at his birthplace for the very first time. Shouldn't he feel like he was coming home? But when he examined the feelings that were flapping about inside him all he could find were faint shreds of nervousness.

As the ferry bumped against the harbour wall, William scanned the faces of the waiting crowd. One of them was his father. Which one? They were all unfamiliar. They were all total strangers. William's stomach lurched. He felt as though an army of butterflies was crashing around in there: butterflies with hobnail boots.

Kate was shifting impatiently from one foot to the other. She didn't wait for William – as soon as the gangplank was down, she grabbed her rucksack, pushed the other tourists out of her way and ran the short distance to dry land.

Sighing, William picked up their two remaining

bags and went with the flow. By the time he was carried with the crowd onto the island, Kate and Nikos had found each other. At least, William assumed it was Nikos: a tall, broad-chested, straight-haired Greek was gazing at Kate with rapt devotion. William noticed with a little stab of disappointment that Nikos didn't look anything like him.

Kate was blushing prettily.

As he approached them, William's heart thudded hard against his ribs. His jaw tightened with nervous anticipation.

But Kate didn't make any attempt to introduce father and son to each other. She didn't even look at William: her eyes were locked, fascinated, onto his father. Kate giggled girlishly when Nikos said, "I am Nikos Popidopolis. I have big taverna. I have beautiful hotel. You come with Nikos, pretty lady, and I give you good room." He clasped his hands over his heart. "You have the best time. I make this my promise."

William flushed pink. This could be a very long two weeks, he thought.

It was embarrassing, but it was weird too.

William didn't know how parents *should* behave when they hadn't seen each other for ten years, but he was pretty sure it shouldn't be like *this*. Kate had gone from being irritated and tense to being all flirty and peculiar – the way she always did when she spotted a potential new boyfriend. But up until now she hadn't shown any signs of being *excited* about seeing Nikos again. If anything she'd seemed annoyed every time his name was mentioned – there hadn't been any sign of this gormless, breathless delight. William had the nagging sensation that things weren't quite right, that something a little odd was going on.

He trailed along behind his parents, but neither of them spoke to him. Kate talked only when William asked her a direct question.

"How far is it?" he gasped wearily. Neither of his parents had offered to help him with the luggage.

"I don't know," said Kate vaguely. Her voice was polite but distant – as if she was talking to a stranger.

"Don't you remember?" demanded William, irritably. It was where he was born, for heaven's sake – she ought to remember that, surely.

21

"Remember? How could I? I've never been here before," said Kate, turning back to Nikos. "Except in my dreams." They walked along, heads close, blocking William out from any further attempts at conversation.

William was thoroughly perplexed. Maybe Nikos had built a new hotel since Kate had left the island. That would explain why his mum said she hadn't been there before. But he didn't remember anything about a new hotel in the letter. Had William missed it? He quite often did miss things; his teacher was always telling him to pay more attention. Maybe this was just one of those times when he'd overlooked something vital.

When they finally arrived at the hotel – a little white building that snuggled alongside the taverna – Nikos showed them to their rooms.

"Pretty lady, you have this room. Best room in hotel. Best view on island. You see harbour? You see sunset? Is good, no? You like?"

"Oh yes," said Kate breathily, "I like very much."

Blimey! thought William. This is horrible!

"I'll take this one, then, shall I?" he said loudly, indicating the empty room directly opposite Kate's.

22

"OK, no problem," said Nikos, without looking. He took Kate's hand. "Come. You eat with me now. I welcome you to my beautiful home."

He said nothing to William.

"I'll come too, shall I?" said William pointedly.

Nikos looked at William in a puzzled way, and eventually Kate said, "Yes, it's a free country. Why don't you join us?"

They went down to the taverna, but things didn't get any better. Kate and Nikos sat themselves down at a table for two and William had to sit at a separate one across the aisle. They were totally wrapped up in each other. Kate couldn't take her eyes off Nikos: it was as if she'd been bewitched. William didn't understand it – Kate might be an unusual mother, but she had never ignored him before. Most of the time she treated him more like a best friend than a son. She'd never done anything like this, not even when she had a new boyfriend – she'd always tried to be really careful about William's feelings.

It was all squirmingly embarrassing for William. So in some ways it was a relief when the swan waddled into the taverna and started talking to him. It took his mind off the awkward situation with his parents. On the other hand, being addressed by an overweight, dirty old swan was very strange indeed.

"I have waited a long time for you, son-of-Odysseus-the-hero," the swan said loudly. "The omphalos begins to stir." It stared expectantly at William, clearly waiting for him to respond.

William looked around nervously. No one else

batted an eyelid. In fact, no one else seemed to have noticed that a large swan had joined him at his table. Nikos was stroking Kate's hand as it lay palm upwards beside her plate. The other families in the taverna were too busy eating, drinking and controlling their offspring to pay any attention to the feathered guest.

The swan tutted irritably, "Come along, come along. There's no time to waste, you know. Didn't you hear me? The omphalos has begun to stir. It's already Friday evening. If we don't do something soon we'll be blasted to bits on Monday."

William lowered his head to table level and whispered out of the corner of his mouth, "Go away."

"Go away? *Go away?!*" screamed the swan. "Dear oh dear. Heroes aren't what they used to be." The swan ruffled its feathers. "Odysseus would have been off out of here before I'd finished speaking," it continued. Then it muttered, "He might have got a bit lost on the way, of course. He never did have much sense of direction. But that's not the *point*. He was *keen*. Liked to get things *done*." The swan took hold of the bottom of

William's shorts and said with difficulty through its clenched beak, "Now, come along. You have less than three days. The world will be much easier to save if you start straight away. 'Find your destiny before it finds you', that's what Odysseus always said."

The swan started to drag William towards the door, his shorts clasped firmly in its beak. It was a surprisingly strong bird, and William's waistband was elasticated. In order to avoid exposing his pants to the entire taverna, he got up and followed.

Before long, William found himself walking along the dusty street that ran beside the harbour. The warm night air wrapped itself around him like a blanket. He took a deep breath. The air was scented with a heady perfume that reminded him of the oil Kate used when she was wallowing in a hot bath. What was it? Orange blossom, or something. And then a thought pinged inside William's head, as he realized it wasn't bath oil he was smelling: it was the scent of real flowers. Spitflos seemed very foreign – very exotic.

"Come on, *come on.*" The swan pecked William in the ribs, interrupting his train of thought.

"*Do* something."

William scratched his head, rubbed his nose, looked at the bird and said, "Look, I'm really sorry, but I haven't got a clue what you're talking about."

The swan stopped pecking him. It stretched up its neck and peered searchingly into William's face with its startling blue eyes. All it found was an expression of total incomprehension.

Suddenly the bird slumped into a feathery heap. Its neck drooped, its wings hung limply at its sides. It was a picture of exhausted dejection. "Humph," it sighed, a deep sigh that was drawn all the way up from the claws of its black, webbed feet. "I never, ever thought things would get *this* bad." It raised its head and looked at William. "Don't you know *anything*?"

William thought. He knew all about West Ham, and who was in the England squad, and what the prospects were for the next World Cup, but he suspected the swan wasn't asking him about football. He shook his head.

The swan sagged sideways, rolled onto its back and lay on the road, its webbed feet sticking up in the air.

"Erm … are you OK?" William asked, prodding the swan.

"Go away," it said. "Leave me here. The end of the world will come soon enough."

William considered his options: go back to the taverna and sit in the corner being ignored by Kate and Nikos, or find out what the swan was talking about.

He lifted the swan's head. The swan let it drop and it hit the ground with a dull thud. The bird didn't even blink.

"Stop it," said William. "Don't just give up. Can't you *explain* what's going on?"

The swan raised its head and looked at William. "Not enough time," it said, and flopped back down.

"Come on, tell me. What have you got to lose?" said William. "I might be a quick learner, for all you know."

"*Are* you a quick learner?" asked the swan.

"Well, not really," answered William honestly. He thought of his last school report and pulled a face. "But you never know," he said optimistically. "There's always a first time, isn't there?"

The swan gazed at William shrewdly. Looked him up and down. Took in his small, weedy stature; his gangly legs; his black eyes...

"Mmmmm," muttered the swan to itself, "there's a sparkle of ... *something* ... there." It rolled over, sat up and said, "I suppose I can try."

"Great," said William, wondering what he was letting himself in for. "We could start with you," he said brightly. "I've never met a talking swan before. Have you got a name?"

It was the wrong question to ask. The swan

almost keeled over again in despair. "Don't you even know *that*?" it moaned. But then it stopped, pulled itself together very deliberately with great effort and said solemnly, "William Popidopolis, son-of-Odysseus-the-hero, I am *Zeus*. King of the gods."

HEROIC BLOOD

"Zeus? *Zeus?!*" William stared at the bird incredulously. "King of the gods? Come off it."

The swan ruffled its feathers indignantly. "It may be a little hard to believe in my current state. But, I assure you, it's the truth."

"Prove it," said William.

"Very well," said the swan coldly, through its gritted beak. It pulled itself up imperiously to its full height – its head was just short of William's shoulder – and stretched its wings. There was a long pause. Then, just when William had given up hope of anything actually happening, the swan gave a deafening squawk.

A bolt of lightning flashed through the night sky with an electrifying crack, hit a large yacht in the

harbour and split it neatly in two. The two halves
flared with huge flames for a few moments before
burning away to nothing. A group of horrified
tourists gathered to watch as a few charred embers
sank to the bottom, leaving a blackened smudge
on the surface.

William gawped.

The swan preened its feathers proudly. "Proof
enough for you?"

It was a long time before William could gather
enough words to form a sentence. "OK," he said
eventually. "So you're Zeus. King of the gods.
Blimey!" Then he narrowed his eyes and said sus-
piciously, "I thought you were supposed to be ...

well … *human*-shaped."

Zeus looked distinctly embarrassed. He blinked his little eyes furiously and gave his balding tail a few flicks. Then he found a very interesting piece of weed stuck between his webbed toes that needed urgent attention. Zeus picked at his foot with his beak while he considered his answer. William was certain that, underneath his feathers, the swan was blushing.

At last Zeus coughed and said, "Well … I was. Human-shaped, I mean. I had rather a nice manly body once. But I possessed others too, you see: I had a wardrobe full of the things back on Mount Olympus. So I used to change every now and then, when the occasion required it. I could slip into any body I wanted to … birds … beasts… I even wore a shower of gold once. That was splendid." He sniffed, and flicked his tail again. "But then I got stuck."

"Stuck?" William asked.

"Yes. Stuck," said Zeus irritably. "I changed myself into a swan and couldn't change back."

"But why?" said William.

"I only nipped out for a little while," Zeus

complained. "It was such a short trip – just across to Sparta and back. I didn't think anyone would even notice. But when I returned to Mount Olympus everything had gone."

"Gone?" breathed William. "What – you mean stolen?"

Zeus shook his head. "No," he said. "Not stolen. Burnt. Destroyed. Reduced to ashes."

William gasped. "Was it an accident?"

"No. It was revenge." There was a long pause, and then Zeus sighed. "It's my own fault, I suppose," he said sadly. "Can't say I wasn't warned. But I never could resist a pretty face. So she lost patience with me. 'Zeus,' she said. 'If you go chasing one more mortal woman I'll see that you're stuck that way until the end of the world.' Which looks like it will be on Monday, so I haven't got long to go." Zeus sat down, his feet sticking out in front of him.

"But who did it?" William persisted. "Who's 'she'?"

"*She*," said Zeus flatly, "is Hera. My dearly beloved, terribly jealous wife." He heaved a sigh that was so deep it set all his feathers quivering, and then muttered, "Just goes to show, doesn't it? There I was, king of the gods one minute – throwing thunderbolts, all powerful – then *wallop!* Stuck as a swan – Greek civilization in tatters, no one believing in me any more, temples all in ruins. Tragic. That's what it is. Tragic."

For a moment, Zeus looked utterly dejected, but then he took a deep breath. William could almost hear his sinews stiffen as the swan got to his feet.

"William Popidopolis, son-of-Odysseus-the-hero," demanded Zeus, "what are you going to do?"

Back to that again, thought William. "Look, Zeus, I think you must have made a mistake," he said. "I'm not son-of-Odysseus-the-hero. I'm son-of-Nikos-the-taverna-owner." He looked apologetically at the swan, but to his surprise, Zeus merely nodded impatiently.

"Yes, yes, I know all that. I was speaking metaphorically. Odysseus is a very distant relation in literal terms. An ancestor. A great, great, great grandfather, or something." He looked hard at William. "You do know who Odysseus is, don't you?"

William was beginning to wish he'd paid more

attention when they'd studied the Ancient Greeks at school. Everyone had been teasing him so much about his name that he hadn't really listened to his teacher. "Well ... I sort of do," he answered lamely.

Zeus shook his head and tutted sadly to himself as he sat down beside William on the harbour wall. A feather plopped into the water. "Odysseus was the greatest hero the world has ever seen. Not just strong – he was clever too. Ingenious. No sense of direction, it's true, but he always got there in the end. He fought the Cyclops. Built the Trojan horse, that kind of thing." Then he looked at William and said, "You don't need to know what he *did*. The point is, William, that the blood of Odysseus flows through your veins. Somewhat diluted in your case, admittedly. But there should be a drop of heroic spirit in there somewhere." He prodded William's chest with his beak. "Isn't there? Somewhere? Deep down? Can't you feel the thrill of adventure stirring?"

William was puzzled. He imagined the blood of Odysseus as blackcurrant cordial, getting weaker and weaker as it passed through the generations. His must be like very diluted Ribena, the juice hardly colouring the water. The only thing that seemed to be stirring in him was a sense of total confusion.

"Now," said Zeus. "About the omphalos. Do you have any ideas?"

William shook his head. He was about to explain that he didn't know what it was, let alone what he was supposed to do about it, when Zeus spoke, his tone brisk and firm.

"Right," he said. "Time for a little journey, I think."

"But my mum..." protested William. "She'll wonder where I've gone. She might worry." (If she notices, he thought.)

"No she won't," said Zeus confidently. "As far as she's concerned you haven't been born yet."

"What?" said William. "Really? I *thought* something funny was going on!" William looked at Zeus and noticed that, for the first time, Zeus didn't quite meet his eyes. William remembered the thunderbolt and the broken yacht, and suspicion flooded his mind.

"Did you do something to my mum?"

Zeus gave a small cough, as he examined the night sky. "A little light memory loss, that's all," he confessed. "Drop of Lethe water in the ouzo. She's reliving the summer she married Nikos. They both are, actually. Hadn't you noticed?"

"Oh," said William, nodding as he recalled his mum's transformation on the ferry. "I see." He stared hard at Zeus. "She'll be OK, won't she?"

Zeus nodded. "She'll be right as rain once it's all over. Provided we succeed, of course. If we don't she'll be blasted to bits along with the rest of us. Can't be helped."

This was all going too fast for William. "Why are we being blasted to bits?" he asked.

"Because of the omphalos." Zeus tutted. "Haven't you listened to a word I've said?"

"Yes, but…"

"No time, no time," snapped Zeus. "I'll explain things as we go. But right now we have a journey to make."

Just then, Kate and Nikos emerged from the taverna, hand in hand. They stood for a moment, Nikos fingering a lock of Kate's hair, before they turned and headed away from William towards the little beach.

"Memory loss. That explains a lot," muttered

William. And then a horrible thought occurred to him. "That means they'll ... EEUW!!!" It suddenly seemed very important to get away before the snogging started. "OK," he said eagerly. "Where are we going?"

Zeus gave an imperious flick of his balding tail. "William Popidopolis," he announced, "it is time to meet Odysseus."

THE UNDERWORLD

"Odysseus?" said William. "What for?"

"I believe he might be able to help you," said Zeus.

"Isn't he dead?"

Zeus sniffed. "Of course he's dead. He's not a god, you know. He passed over centuries ago."

"Then how come we can find him?" A terrible thought occurred to William. "Hey, we're not going to dig him up, are we?"

"No, no, no. What a revolting suggestion! We're going to visit the Underworld."

"The Underworld? What's that?"

"You'll see soon enough," snapped Zeus. "But now we really must get on. Come along."

Zeus stood up. So did William.

Zeus looked William up and down. "Hmm …
I hadn't thought of that," he said. "This is going to
be a little tricky. There is the matter of your trans-
portation to consider."

Zeus sat down. So did William.

Zeus spent a long time thoughtfully rubbing
what would have been his chin (if he had been
human-shaped) with the tip of one wing. William
sat looking into the dark water, wondering if the
Underworld was anything like the Underground in
London. He suspected not.

Eventually Zeus said, "Well, I can't think of anything satisfactory. You're too big to ride on my
back. You'll just have to hang on to my underparts."

"Your what?"

"My underparts. Legs, boy, legs. Now, listen,
William. I need a bit of a run-up to get airborne.
You'll just have to catch hold once I'm flying. Got
that? Good."

Zeus didn't wait for an answer. He prodded
William ahead of him until he was standing on the
far end of the harbour wall. Then Zeus plopped
into the water and glided serenely across the harbour. Once he'd reached the opposite wall, Zeus

41

turned and started paddling furiously towards William, flapping his wings. For a few moments there was nothing but a lot of splashing and squawking. Then the swan began to lift out of the water. He was running across the surface. He was airborne. He soared upwards ... *THUNK*.

Zeus crashed into the harbour wall just below William.

William watched anxiously as the bird slid slowly down the wall and into the water, apparently unconscious.

"Erm ... are you OK?" William called into the darkness.

Zeus shook himself. "Slight navigational error," he replied. "Tiny miscalculation, that's all. Nothing to worry about."

He paddled back across the harbour and tried again. The splashing and the squawking preceded a sprint across the surface of the water, wings flapping feverishly. He lifted off and cleared the harbour wall, with millimetres to spare. Zeus soared into the air, circled, and then dived straight at William.

"Catch hold," he shouted. "NOW!"

The webbed feet brushed the top of William's

head. William grabbed blindly at the swan and suddenly found himself being lifted off the wall. He had caught a leg with one hand and something else with the other.

"OOOOOOW!" squeaked Zeus, swerving violently from side to side. "Get off! Get OFF!! GET OFF MY TAIL!!!"

They were airborne, soaring higher and higher. The harbour lights got smaller and smaller and further and further away. William, dangling beneath a frantically wobbling swan, somehow managed to move his left hand from the bird's tail to his other leg. Considerably relieved, Zeus climbed high into the night sky and headed out over the pitch-black sea.

Zeus was strong, but William was an enormous weight for a bird his size to carry. After a while, the swan's flight got erratic and bumpy – Zeus lurched up and down as his wings beat hard against the gravitational pull of the earth.

William's arms felt like they were being wrenched from their sockets, and now he started to feel travel sick too, with all the up and down movement.

The sky had started to lighten. It had gone from velvety black to slate grey, and now a pink fissure of light streaked the horizon. William might have enjoyed the spectacular view if his vision hadn't been so blurred by all the bouncing around. As the sun crept higher, William realized with surprise that they had flown through the entire night. It was Saturday morning.

He just had time to register that he was several hundred metres up – and all he could see was open ocean in every direction – when Zeus announced, "We're here," and stopped flapping. There was a moment's stillness, a moment's silence, before gravity took hold and they plummeted towards the earth. The wind whistled past William's ears and he looked down to see the sea rushing towards them at an alarming rate.

"You can release my legs now," said Zeus calmly as they performed a graceful somersault together.

"No way!" shouted William. He wanted something to hang on to.

"Get off. Get OFF!! GET OFF!!!" Zeus pecked at William's fingers as they pirouetted through the air.

"Stop it. Ouch!" said William. He held on, grimly determined. He was about to be splatted on the open ocean: there was no way William was going to let go of the creature that had got him into this mess.

The noise of the wind accelerated to a high-pitched whine. Zeus took the skin of William's forefinger in his beak and squeezed.

"Eeearghouch!" screamed William. The pain was too much. He relaxed his grasp and the swan's legs slipped through his fingers.

I'm going to die, I'm going to die, I'MGOINGTODIE! thought William. Hang on a minute ... I thought my life was supposed to flash before my eyes.

All that flashed before William's eyes was a brief glimpse of his teacher, wagging a finger and saying sternly, "William Popidopolis, you must pay attention."

Is that *it*? thought William. Aren't there *any* interesting bits?

Then, just as they were about to hit the surface of the dark water with an almighty *thwack*, the sea parted like a pair of velvet curtains and everything went black. They weren't falling through air any more, and they weren't falling through water. They were falling through blackness. Blackness that seemed to get thicker and thicker, and darker and darker until *Phhhhtt!* The blackness got so thick that it caught them and stopped their fall.

It was most peculiar. When William opened his eyes there was nothing there. He rubbed them, and blinked several times. He could see nothing. He extended his hands, reaching forward with his fingertips. He could feel nothing. He kicked out with his feet, waved his arms and legs wildly about. Nothing. He was suspended in nothingness. It was very odd. To reassure himself that he was still alive, he said aloud, "My arms are sore."

A grumpy voice just to the right of him answered, "Your *arms* are sore! What about my *legs*?"

William smiled to himself, immensely reassured to find that Zeus was beside him. "What do we do now?" he asked.

"We wait for the ferry," replied Zeus. William could hear the bird's feathers rustling impatiently.

"The *what*?" asked William. But Zeus didn't reply.

Just then William noticed a tiny pinprick of light piercing the blackness. As William watched, it grew bigger, and he realized that it was moving towards them. When it was close enough, William could see that the light was a flaming torch, carried by a man who glided across the acres of nothingness in a small wooden boat. His face wasn't exactly pale – it was without colour, bereft of life – and William thought it was the most horrifying face he'd ever seen.

The boatman fixed his empty eyes on William, and William felt as if the blood was being slowly sucked from him. Ice ran through his veins. His heart froze. When the boatman started to speak, his voice poured into William, echoing inside his ribcage, flooding his body with liquid terror.

"WHO PAYS THE FERRYMAN?" the man's voice boomed.

William had gone all dizzy – he thought he might faint with sheer fright.

But Zeus was unimpressed. "No one pays, you idiot," he snapped. "It's me."

The boatman was so surprised that he dropped his torch into the boat, where it started a small fire on the dry wood. Stamping out the flames, he retrieved it and said, in quite a different voice, "Oh, my! I do apologize, your mightiness, I had no idea it was you." He peered into the nothingness, looking at a point just above William's shoulder.

William gave an involuntary little shiver and felt warm blood returning to his veins. It was like coming back inside after a snowball fight. Weird, he thought.

The boatman looked at him, and William realized that the man's face had completely changed. Now it wasn't scary at all: he actually looked, and sounded, a bit like Kate's hairdresser.

"I'm ever so sorry," the boatman said quickly to William. "Didn't mean to scare you. I was only doing a bit of spectral manifestation. I'd never have bothered if I'd known you were with his thunder-boltness. Only I used to enjoy putting on a bit of a show for the new arrivals... A bit of a spectacle to make them feel they'd arrived, if you know what I mean?"

William smiled faintly. If that was the boatman's idea of a welcoming display, just how much more ghastly was this place going to get? The heavily booted flock of butterflies inside William started trampolining off his stomach walls.

The boatman held his torch up and peered again at the point above William's shoulder. "Are you there, your magnificence? Or are you invisible today?"

"I'm down here," said Zeus coldly.

The boatman lowered his torch to where the voice had come from, looked at the swan, suddenly realized who he was and gave a nervous little jump.

"Whoops! Terribly sorry," he said. "I saw the boy and a bird. I assumed you were his pet. I never dreamed you were in disguise."

Zeus coughed and flicked his tail. "No, well, er, the occasion seemed to require it," he said.

"Travelling incognito, are we?" The boatman tapped the side of his nose and winked. "Well, mum's the word. I won't tell anyone." He sighed wistfully. "The times I've wished I could just slip into another body! Must be wonderful to change into a bird and fly away from it all! Leave all those cares and worries far behind. Oh, I'd love to get out once in a while. Still ... never mind, eh? Now, what can I do for you, your mightiness? Are you looking for a place for the boy? We've got plenty of vacancies."

Vacancies? William wondered if the boatman ran some sort of strange, subterranean hotel. But who on earth would want to stay in a place as grim as this?

"No," said Zeus firmly. "His time hasn't come yet. We're just visiting."

"Oh well." The boatman's voice oozed disappointment. "Who did you want to see?"

"Odysseus."

"Odysseus!" The boatman clapped his hands together in delight. "Oh, my favourite! Come along, then. Hop right in. Shall I do you the grand tour, or do you want to go straight there?"

51

"Most direct route," said Zeus. "We don't have much time."

"Busy, busy, busy. One of the penalties of being the almighty, I suppose," said the boatman sympathetically. "Me, I've got plenty of time. Just don't know what to do with it, that's my problem."

Zeus waddled into the boat, and William followed. He was relieved to find that it was reassuringly real and solid and wooden. He avoided the small hole that the torch had burnt in the bottom, and sat on the bench at the back. Zeus sat next to him, webbed feet dangling.

The boatman gave a little flick of his wrist, and at this signal, the craft turned and moved back in the direction from which it had come.

The boatman couldn't stop talking. He stood in the prow, hand on one bony hip, keeping up an endless stream of chatter. "Oh, I remember when I used to do this crossing every day. Ever so busy, I was. Never a day off. Not that I'm complaining. It was ever so interesting. I got to meet so many famous people. I've had all the heroes in the back of my boat, I have. Theseus, Heracles. Ooh, that Heracles! The stories I could tell you about him!"

"Please don't," said Zeus. His webbed feet were jiggling fretfully.

"No … well, I suppose you already know them all," said the boatman, unperturbed. "Must get a bit dull, being all-seeing, all-knowing. I mean, where's the *excitement*? Where's the *suspense*?" He didn't wait for an answer. "You know, when that Trojan war thing was on… Phew! I just couldn't get them over quick enough. Achilles … Ajax … Hector… Ferrying them across the river as fast as my little boat could carry them, I was. Those were the days!" He smiled to himself. "Then it all stopped. No one else came. Why was that, your thunder-boltness? What happened?"

"Change of management," growled Zeus bitterly. He didn't offer any more information.

The boatman sighed. "Oh dear. What a pity. Shame, really. Gets a bit dull, you know, seeing the same old faces year after year, millennium after millennium. That's why I got so excited when you arrived. They'll be ever so glad to see you."

Zeus gave a small "hmph" in response but said nothing. He seemed very uncomfortable, and William sympathized – it was a horribly weird place. Whatever they were supposed to do here, William hoped it could be done quickly – he was aching to be back out in the fresh air and sunlight.

They had been floating for a long time when a sudden flicker of movement caught William's eye. A shadow flitted past him. It was followed by another. And another. As William watched, shadows formed into human figures that drifted around the boat. The air was thick with them. Despairing dead eyes peered at William from all directions. He shuddered with horror.

The shadows were whispering to each other: wafer-thin voices that rustled like dried grass.

"Look! Look! A *new* one!"

"A *live* one!"

"Feel his warmth! Blood flows in him still!"

"He breathes!"

They started to call to William.

"What news from above?"

"Who won the Olympics?"

"What of the Roman invaders?"

"What are they wearing in Athens this year?"

"Are the togas shorter?"

William edged closer to Zeus. "Who are they?" he whispered.

"The dead," replied Zeus.

William's mouth fell open. Realization washed over him like a bucket of icy water. He looked at Zeus, aghast. "Is *that* what the Underworld is? Where people come after they've died?"

If Zeus had been human-shaped he would have shrugged. As it was, he rippled his wings in a non-committal gesture. "It's where the Ancient Greeks came," he answered. "It's what they believed in, so it's what they got."

"You could have warned me," whispered William, appalled.

"I could," agreed Zeus. "But I think you might have been less willing to come if I had. And we do have rather an important job to do."

Zeus sat ignoring the shadows' cries, his long neck drawn back onto his chest, his feet twitching with annoyance. All William could do was slump into silence, letting their whispering wash over him. He hoped the visit to Odysseus was going to be worth it: he found it difficult to imagine that anything good could be at the end of a journey of such chilling nastiness.

At last they moved beyond the shadows, into a brighter place.

There was a loud barking, and a massive dog's face appeared out of nowhere and hovered in front of William. Then, horribly, disgustingly, it licked William, smearing him with warm, wet, sticky saliva.

William tried to push it away, reaching towards its shoulders so that he could get a good grip and force it off. But then he realized with alarm that the dog had no shoulders – its neck just went on and on.

"Leave him alone, Cerberus," said the boatman. "Bad dog. Get down. Go on, go back."

The dog looked at the boatman, gave William one last lick and retreated. William's hair was standing on end, not with fear, but with dog slobber: it was thicker than hair gel. While he tried to scrape it off, he looked over to where the dog had gone.

It was the strangest sight. There was a harbour – not unlike the one in Spitflos – and on the wall, waiting for their arrival sat the dog, wagging its tail furiously. It had not one head, but dozens of them,

each one attached to a neck that was as long as a giraffe's and joined to a body the size of an elephant. The dog was excessively well groomed – each head had a topknot of hair tied with a red ribbon. Its owner really did have too much time on his hands.

There was a slight thud as the boat bumped into the harbour wall, and the boatman jumped out to greet his dog. All the heads tried to lick him at once.

"Get down, Cerbie," he said, giggling, and the

dog rolled over onto its back with a tremendous thump. "Who's a good boy, then? Did you miss me? Good dog."

The boatman started to scratch the dog's stomach, and a hind leg jerked backwards and forwards in response. "You can get out now," he called. "You'll find Odysseus in the Elysian fields. It's over there. Zeus knows the way. See you later." Then he turned back to his dog. "Who's my favourite boy, then?"

William and Zeus climbed out of the boat and edged carefully past the dog, whose leg was slicing through the air just above William's head. Squelching through pools of thick, sticky saliva, he followed Zeus to a flight of broad stone steps at the end of the harbour wall. They climbed the steps side by side, and at the top found two huge doors – both about four metres high, heavy and wooden, with rough-hewn latches fastening them closed.

"It's the one on the right," said Zeus.

William looked at the door on the left. "What's behind that one?" he asked.

"Tartarus," said Zeus. "Place of eternal punishment."

William had a strong urge to open the door for a peek but then heard a scream of such anguished despair that it chilled him to the core. Maybe not, he thought.

"OK," he said, turning to the door on the right. "Here we go."

He lifted the latch and pushed the door open.

ELYSIUM

William gasped.

He was standing in the middle of Wembley Stadium and the crowd was going wild. William's mind was flooded with the knowledge that he'd just scored England's winning goal in the World Cup Final. In the distance the opposition was sobbing in despair. William found himself being lifted onto his team-mates' shoulders in triumph. The roar of the crowd was deafening, and William's face split open in a beam of radiant pleasure.

But then a grumpy old swan appeared. "For heaven's sake," it said. "You can dispense with the Wish Fulfilment Programme. This one's alive, remember?"

Wembley melted away. The teams vanished.

William crashed to earth with a hard bump. He sat on the ground, rubbing his elbow. "That was nice," he said wistfully. "What happened?"

"This is Elysium," said Zeus briskly, "the last resting place of the Greek heroes. Those whom the gods loved ended up here. It's the place of eternal happiness. Hence the Wish Fulfilment Programme: here you can have your heart's desire every day of the week for all eternity." Zeus pecked at William's foot. "Come on, we must find Odysseus."

Zeus started to strut purposefully across the grass, and William had no choice but to follow.

Wembley had been replaced by a scene of breathtaking beauty and tranquillity. Gentle green hills rolled away into the distance, where a snow-capped mountain pierced the clear blue sky. No flies buzzed: the air was filled instead with the sweet, soothing music of harps. William felt a delicious sense of calm descend on him. The sun shone brightly – but not too brightly – and it was warm – but not too warm.

Wow, thought William, it's perfect.

He walked forward. The grass was soft and springy beneath his feet, and studded with beautiful flowers that released exquisite scents as he passed – smells that reminded William in turn of hot chocolate, honeyed toast and chelsea buns. And the smells seemed to be actually filling him up: he was aware that they had taken the edge off his hunger rather than sharpening it as he would have expected.

"Come along, no time to waste," urged Zeus, waddling down a hill.

William followed in a happy daze, drunk on the balmy air. It seemed impossible for him to hurry here: he felt as though he had all the time in the world to do whatever he wanted. They came to an olive grove at the bottom of the hill, which was shady – but not too shady. A sparkling stream tumbled over rocks, and William realized he was thirsty. He bent down, scooped up a handful of the cool, clear water and—

"STOP!!!" squawked Zeus. "DON'T DRINK!"

"Why?" asked William.

"That stream flows straight from the Lethe," answered Zeus, "the river of forgetfulness. I only used one drop of that stuff on your parents. Drink that, and your memory will be totally wiped."

Horrified, William let the water slip through his fingers and wiped his hands on his shorts.

But, to his astonishment, Zeus lowered his beak into the stream and took a long, cooling draught.

"That's not fair," objected William. "How come you're allowed to drink it?"

"Being immortal has certain benefits," the swan replied calmly. "One of which is being able to take the waters of the Lethe with no ill effects." He led the way out of the grove and up the side of the next hill.

William was starting to feel terribly tired. He hadn't slept all night, and now the heavily scented air seemed to be weighing his body down and forcing him towards sleep. He was walking more and more slowly, dragging his feet across the soft grass.

Zeus pecked him savagely on his legs. "Come along. You can't stop. We need to find Odysseus."

"I'm tired," complained William. "Can't I have a little rest?"

"If you sleep here you won't wake up until the end of time," warned Zeus sternly. "Elysium is a dangerous place for the living. Come on!"

Zeus followed William up the hill now, snapping

at his ankles to keep him awake, and all the time William fought the terrible urge to rest.

But then they saw something that made William's eyes widen, and startled him back into wakefulness. A group of men was standing around at the top of the hill. They were amazing – as beautifully formed as Greek statues – and all so good-looking that they could only be heroes. They seemed to be comparing the length of their togas.

"At last!" tutted Zeus. "About time too."

As they drew closer, William started, and drew in a sharp breath. Standing to one side of the group was an older, stronger, bigger version of William. He had wildly curling copper-coloured hair and eyes that were so dark brown they were almost black. The resemblance was uncanny. It had to be Odysseus.

There was nothing spectral about him. As they approached, Zeus called, "Odysseus! I require your help."

Odysseus looked at the swan through narrowed eyes. "Zeus?" he said uncertainly. "It is Zeus, isn't it?"

The swan nodded.

"Why the disguise?"
asked Odysseus. He gave
a loud, sudden laugh. "Let
me guess… You've been
chasing women again!
Who was it this time?"

Zeus didn't answer, but
Odysseus took no notice
– he had spotted
William.

"By all the gods on
Mount Olympus!" he
swore. "Do I know you?"

Odysseus's eyes sparkled with excitement.

William shuffled awkwardly. "Erm … I'm a sort
of relation, I think."

"One of your descendants," explained Zeus.

"Olympic gods! I'm delighted to meet you!"
Odysseus slapped William cheerily on the back. It
was a strange sensation: his hand passed right
through William's spine and came out through his
ribs.

Odysseus looked hard at William. "You're still
alive," he said accusingly. "What in the name of

Zeus are you doing here?"

"The omphalos begins to stir," said Zeus impatiently.

"Mount Olympus!" Odysseus gasped. "Why didn't you say so? There's no time to waste. Come on!" Odysseus began striding down the hill in completely the wrong direction.

Zeus called him back. "Odysseus, we're not asking you to tackle the problem. We need advice, that's all."

"Why can't we leave it to Odysseus?" asked William quietly. He looked so much stronger, so much more ... well, more of everything, really, than William. It seemed like a good idea to let Odysseus deal with the problem, whatever it was.

Zeus snorted. "Of course we can't leave it to him. He's *dead*. He's of no earthly use up there. I just want to get a little inspiration, that's all."

"So ..." said Odysseus, "the omphalos begins to stir. That's a tricky one."

What with the voyage through the Underworld, and the Wembley Stadium incident, William had quite forgotten about the omphalos. He thought it was time someone told him what was going on.

He came over all assertive. "What *is* this omfa-thingy?" he demanded.

"Olympic gods!" exclaimed Odysseus. "Haven't you told him anything, Zeus?" He tutted and turned to William. "It's the navel of the world," he explained.

"What?" asked William. "Do you mean the bellybutton?"

Odysseus laughed. "What a curious phrase. 'Belly' I understand, but 'button'? What on the great, flat earth is a 'button'?"

"It's used on clothes," William began, studying Odysseus's toga. "I suppose you didn't have them, did you? But it doesn't matter ... that's not impor-tant." William looked at Zeus. "I didn't know the world *had* a bellybutton. Why is it a problem if it moves?"

Zeus shuffled uncomfortably. "It all happened aeons ago," he began. "When the earth was made. Creation was a terrible muddle, you see. Chaos, in fact. To be perfectly honest the whole thing was a bit of a rush job. I suppose some of the workman-ship may have been a little sloppy – the whole planet was riddled with cracks. In the end, the thing had to be tied together with a length of string—"

"String?" interrupted William. "You mean the whole world's held together with string?"

"Yes," said Zeus. "The knot's in the centre of the world at a place called Delphi, on the Greek mainland. I sent two eagles flying from opposite ends of the earth to find the exact spot." There was a slight pause while Zeus allowed William to digest the information. Then he added, "It's not *ordinary* string, obviously."

"Obviously," muttered William.

"It's Cosmic Grade Twine," stressed Zeus.

"Cosmic Grade Twine..." echoed William.

"Yes ... it's jolly useful stuff. Holds most bits of the universe together very well. Lasts for aeons. I used a stone at Delphi to mark the place where the knot lies. The stone looks a bit like a human navel. That's why it's called the omphalos – that's Greek, you know. The actual knot is in a cave underground – right beneath that stone. The trouble is that over the centuries, the knot's worked loose. It looks like it's going to come untied by Monday."

"Untied?" asked William.

"Yes," said Zeus irritably. "Please pay attention."

"I have been," said William indignantly. "It's just a bit much to take in." He scratched his head for a moment and then asked, "What happens if it comes undone?"

"Use your imagination," snapped Zeus. "The centre of the world is filled with zillions of gallons of boiling lava. The whole planet's under extreme pressure. If the knot gives way the earth will explode like a jam doughnut in a microwave. Continents will be flung off into space like Frisbees. The oceans will simply evaporate. It will be the end of the world, William."

There was a long silence.

Then William asked slowly, "Well, why can't you just tighten the knot?"

Zeus shot him an acid look. "One needs *hands* to tie string, William. How do you propose I manage a knot in my current form?"

"Oh, right … sorry," said William. "That's why you need me, then, is it? I'll come and do it. It shouldn't be too difficult, should it?"

There was a long pause. Zeus looked sideways

at Odysseus. The hero had started to study a terribly interesting flower just to his left.

"There's more, isn't there?" said William. "What aren't you telling me?"

Zeus coughed and muttered, "Well … there is the small matter of the Gorgons."

"The *Gorgons*!" cried William, leaping up. That was something he did remember from school: the Gorgon Medusa, a woman with snakes for hair, who turned those who looked at her to stone. "I thought Medusa was dead," he said in a small high voice. "Didn't someone chop her head off?"

"Yes, that would have been Perseus," said Zeus. "One of my offspring, you know," he said, with a wink to Odysseus. "Perseus couldn't look straight at Medusa, of course – he'd have been turned to stone that way. So he used his shield. He walked backwards, holding the shield up so he could see Medusa's reflection in it. Then he shut his eyes, and *whoosh*! Sliced his sword through the air and took her head clean off." Zeus's feathers puffed out with pride as he remembered the heroic exploit. In a softer voice he added, "But there were three Gorgons, you see."

"Three?" queried William. "No one at school mentioned that."

"No ... well, sadly, storytellers don't always stick to the facts when they're retelling these things. Over the centuries myths are inclined to get a little muddled. The truth is that Medusa had two sisters, who are still alive and well, and living in the cave beneath the omphalos. We can't get to the knot without going past them."

"OK," said William. "So I need to chop their heads off, do I?" The thought made him feel queasy.

"No," said Zeus. "I'm afraid you won't be able to

do that. You see these particular Gorgons are immortal. They can't be killed."

"Oh," said William.

"Ah," said Odysseus.

"Indeed," said Zeus.

They all lapsed into gloomy silence.

THE BIG IDEA

William sagged miserably. "Why are you bothering to tell me about all this, then? There's nothing I can do."

Odysseus clutched William's shoulder: at least, he tried to. His fingers passed right through William's armpit before he said firmly, "Do not despair. Despair is the enemy – do not let it triumph. There is always *something* that can be done."

"That's why we came to see you, Odysseus," said Zeus. "We need to be devious about this. Clever. This task requires ingenuity rather than brute force, and you were always rather talented in that direction. I was hoping you might give the boy some inspiration, him being a great, great, great grand-descendant of yours." Zeus looked at him hopefully, but Odysseus sat with a furrowed brow and said nothing.

There was another very long silence, until at last Odysseus said, "Do you have *any* strengths, William?"

William thought hard. The only thing he really liked doing was playing football, but he wasn't particularly good at it. He could run fast enough, but his aim was disastrous. He had winded the PE teacher last term by kicking the ball straight into his stomach. Everyone except William thought it was funny: he had been aiming for the goal three metres to the teacher's left.

"I can run quite fast," he said hesitantly.

"Good," said Odysseus. "Speed. That's always an asset." He looked at William. "You're small, you're light, and if you're fast too, then perhaps you have a chance. The Gorgons are big, heavy, cumbersome creatures. They have a fearsome ability to petrify, it is true. The merest glance upon their faces, and you shall be turned to stone. You must use your wits."

Wits. Oh dear, thought William. His last school report said that he was "a bit lacking in the ideas department". There had been an unfortunate incident with his art teacher. She played the class a piece of classical music while they all sat with their eyes shut. Then she instructed them to paint what they could see inside their heads. Everyone else did flowers or trees or even fish. But William painted a large red blob. When his teacher asked what it was, William told her, "I painted what I saw in my head. I suppose it's my brain, miss." His art teacher had been horrified by his lack of imagination and written a stinging comment. William's mum had put his school report in the bin crossly, and assured him, "You're just fine. Don't worry about it." But he did.

Odysseus now began pacing up and down. "I tell you this, William, you must think of a way around them. To confront them face to face spells instant death. But you may be able to slow them down, stop them long enough for you to tighten the knot."

William thought about the monsters lurking in their underground cave: it would be pitch-black, he realized. Worse than the Underworld. Horrible. "Why on earth would they choose to live in a place like that?" he said, more to himself than anyone else.

But Odysseus looked at him sharply, as if William had said something clever. His eyebrows knotted as he considered the question. "Why indeed," he murmured.

It was as if a switch clicked on in William's brain. He started to think. Why would anything *choose* to live in the dark? he asked himself.

Then he answered his own question aloud. "Maybe they're scared of the light," he said softly.

Odysseus nodded thoughtfully. "You may be right. I believe you may have discovered their weakness. But how shall you use that knowledge?"

William turned Odysseus's words over slowly. Echoes of all that had been said started to drift across his mind: To confront them face to face spells instant death … spells … spells… His mind wandered, and an image of his mum watching a magic show on the telly last Christmas popped unbidden into his head. "It's all done with mirrors," she had grumbled. Mirrors … mirrors. Perseus walking backwards, using his shield as a mirror.

They fear light … they are cumbersome … they are immortal…

The smallest, tiniest nugget of an idea started to form in William's mind. It was so far back, so deep in the recesses of his brain, he couldn't see what it was yet, and he couldn't begin to tell Zeus and Odysseus about it. But it was there, none the less. It just needed time to develop and grow. The problem was that time was in short supply: William desperately hoped his Big Idea would come before Spitflos was flung into space, along with the rest of the world.

Odysseus noticed the change in William's expression, the intense concentration that screwed up his eyes and made a tight line of his mouth. He looked at Zeus and said, "I think perhaps an idea is coming. Do not worry at it, William. Let it be until it has taken shape."

Zeus stood up. "We must be off," he said. "I give you my thanks, Odysseus."

Odysseus gave William a manly hug. It would have been more encouraging if William's face hadn't sunk into Odysseus's chest. He could see right into his ghostly lungs and feel the *thud, thud* of a ghostly heart beating against his nose.

"I bid you farewell, my great, great, great

grand-descendant," said Odysseus, releasing him. "Remember this: ask the right questions. In answering them you will find the solution you seek. If you succeed you will stand amongst the noblest heroes in Greece. I honour you in your attempt. And maybe we shall meet again when your time has come."

"Yeah... Thanks." William felt a lump form in his throat. He'd liked meeting Odysseus and it was great to know where he'd got his wild copper-coloured hair from. On the other hand, he hoped they wouldn't meet again too soon. He didn't fancy being one of the dead just yet.

William smiled, waved goodbye and then stumped off after Zeus. He was too busy thinking to talk. He barely noticed the walk back to the boat or the return journey through the hordes of shadows.

At last the boatman put them out into the thick blackness and said cheerily, "Bye, then. It was lovely to see you. Do come again, your mightiness. Don't be a stranger!"

William and Zeus floated in the dark nothing-ness as the light from the boat faded. William was so very deep in thought that it hadn't occurred to him that they were going to leave the Underworld and that it was likely to be by the same route as they had entered it. He hardly noticed Zeus saying something to him, prodding him in the small of his back with his beak, and it was only when his ankles were tickled with a breath of air that William's mind started to return to the here and now. By the time the breath had become a gust, he realized Zeus was shouting at him to hold on to his legs. When the gust became a blast, William turned to reach for Zeus.

Too late.

A terrifying jet of air picked William up bodily. He found himself shooting up a tunnel of velvety darkness. Before he knew it he was in the sunlight,

being propelled hundreds of metres into the air with absolutely nothing to hang on to.

The jet of air stopped as suddenly as it had started. William was suspended motionless for a split second. Then gravity claimed him and he fell headfirst towards the sea.

Not again, he thought. Not twice in one day. Below him the sea – which had been pulled apart like a pair of curtains to allow him out of the Underworld – slammed shut with the ringing clang of an iron gate.

This time he really was going to hit the water, and it was going to hurt. William remembered the belly flop he had done last summer. He'd slipped on the diving board, and fallen flat on his face into the water. It had been very painful. This was going to be much, much worse. It might even kill him. I can't die yet, he thought. I'm going to have a Big Idea and save the world.

"Zeus!" he yelled, looking around frantically for the swan. Then he saw him. Zeus was lighter than William and had been thrown higher up in the air. Now he was in a full-throttle dive, aiming straight for William, but he was still fifty metres or so away.

William looked down and immediately wished he hadn't. The water was rushing up to meet him. Zeus was getting closer, but so was the sea. He revolved onto his side.

Forty metres. The sea glinted menacingly.

Thirty metres. William could see the gulls bobbing on the surface of the water.

Twenty metres. He struggled to get himself upright, so he could enter the water with minimum impact. He only succeeded in turning over. William was going to hit the water flat on his back.

Ten metres. Zeus was nearly there.

Five metres. With an almighty swoop, Zeus grabbed hold of William's T-shirt with his beak and went into reverse thrust. His huge wings flapped furiously against the force of the fall, slowing William down.

There was a loud crack, and for one horrified moment, William thought that Zeus's neck had snapped.

Then he realized it was him. He had hit the water.

"Ow," he said, as the pain signals finally reached his brain. He felt as if his entire body had been slapped by a giant hand. He lay spread-eagled on his back, floating on the water, looking up at the clear blue sky as the swan bobbed beside him.

And suddenly the Big Idea took shape.

"I told you to hold on," said Zeus crossly.

"Zeus," William said, his voice wobbling with excitement, "we need to go shopping."

THE SHOPPING
EXPEDITION

"How long would it take to fly to England?" asked William as he bobbed in the waves.

"England? *England?!* Why on earth do you want to go to England?" squawked Zeus.

"Shopping," repeated William. "We have to go shopping."

"What for?" asked Zeus.

"Stuff," said William, with a dismissive wave of

the hand. "Things to scare the Gorgons."

"We have shops in Greece, you know," said Zeus sniffily. "Athens is full of them."

"Yes, I know. But I haven't got any Greek money. We need to go to Whittles. It's the only place I know that sells everything we need. And I can use my mum's store card – she's got an account there. I'm allowed to sign for stuff." It was one of the benefits of having an eccentric mother. "It's Saturday," he continued, checking his watch, "ten o'clock... If we fly to England today, we could do the shopping tomorrow and get back to Greece by the evening. We can tighten the knot first thing Monday morning. That would work, wouldn't it?"

"I don't like England," Zeus complained. "It's cold and it's wet and your queen eats birds like me."

"Does she?" said William, surprised. He couldn't imagine the Queen tucking into roast swan.

"Well," said Zeus, "all swans in England belong to the monarch, you know, and one of them definitely used to eat us. Barbarous habit. Of course, it may have been some time ago..."

"I don't *think* she does..." William was uncertain. How was he supposed to know what the Queen ate? She might munch one every morning for breakfast. "We don't have to be there for very long," he said. "We only need to be in the shop for about an hour."

Zeus relented. "Very well. If we must, we shall go to England. But it's too far for me to fly."

"Then how…?" William began. He didn't finish the question.

Zeus pulled his head back and uttered an ear-piercing squawk that nearly caused William to drown. The sound was so terrible that William put his fingers in his ears and forgot to keep swimming.

Bobbing back to the surface when the noise stopped, he watched as something appeared in the sky. As it came closer, William could see that it was a pure white bird, with a huge pair of wings. William reckoned each wing must have been twice as big as him. It was the oddest bird William had ever seen. It had four legs, for a start. And a mane. And a tail. In fact, it wasn't a bird at all. It was a horse. A flying horse.

It was Pegasus.

He was magnificent. His brilliant white coat dazzled William, glinting like sunshine on fresh snow and making him screw his eyes up against the glare. His thick, flowing mane was shot through with threads of silver and gold, and rippled with each wing beat. But it was Pegasus's eyes that William found most amazing – they were huge, a liquid black, and when William looked into them he could feel the animal's strength and intelligence.

It was a mount fit for a hero. William was so impressed that he forgot to tread water, and sank beneath the waves once again. When he surfaced, spitting out water and rubbing his nose where the sea had shot up his nostrils, Pegasus was hovering above the waves, waiting expectantly.

Getting on was going to be tricky.

Pegasus didn't seem at all willing to get wet. He wouldn't let his hooves even skim the surface of the water. In the end, Zeus reached up with his long neck, grabbed the end of the horse's tail with his beak and pulled himself up as if it was a rope. William did the same, getting far closer to the horse's bottom than he'd intended. With an undignified and very unheroic scramble he eventually found himself sitting behind Zeus, astride Pegasus.

"Hold still," Zeus ordered William, while the horse

hovered above the waves. The swan stretched his long neck upwards and brushed his beak against the top of William's head. Then – revoltingly – he belched loudly, and William felt something warm and wet dribbling into his hair.

"Eeuw!!!" protested William. "You've been sick on me! That's disgusting!"

"Not a terribly accurate description," corrected Zeus. "I have merely regurgitated a drop or two of Lethe water onto you. It should ensure we reach England unnoticed."

"Wow!" gasped William. "What – are we invisible?" He examined his hands. He could still see them.

"No," said Zeus. "But it will mean that any witnesses to our flight will instantly forget what they have seen. It should last all the way to England. Quite what we do on the return journey is another matter. I shall address that problem when we come to it."

Zeus belched twice more, dribbling half-digested Lethe water onto Pegasus and then his own breast before asking William, "Now … where to?"

"Home," answered William. "To Brighton."

*   *   *

The horse gave a tremendous flap of his great wings, and the sea around them was blown into little waves that crested outwards in a wide circle. He flapped again, and they soared effortlessly upwards. The air was hot, and the gusty draughts circulated by Pegasus's huge wings warmed William's clothes as effectively as if he had been thrust into a tumble dryer. By the time they were two hundred metres up, William was bone dry and thoroughly enjoying himself.

Flying on Pegasus was a lot more comfortable than dangling beneath Zeus had been. Below them, the sea sparkled in the sunshine. Islands were dotted about like emeralds on turquoise silk: the view was stunning. The speed made conversation impossible. Air whistled past William's ears, and he fought the urge to whoop with the sheer exhilaration of being carried on the back of a flying horse.

Before long the crinkly outline of mainland Greece was below them, and Pegasus was heading north across Europe.

*   *   *

Pegasus was fast but he wasn't as fast as an aeroplane, and it was a very long journey. After an hour or so, the thrill was wearing off. After two hours, William's bottom was starting to get sore. After three, he was wishing he had never, ever set foot on Spitflos, and the whole adventure had never, ever got started.

As they journeyed further north, the air got colder and colder. William buried his hands in Zeus's feathers to keep them warm, but he couldn't do anything about his toes. By the time the English coast came into view William's feet had lost all sensation, and he was wishing that his bottom had done the same: as it was, he would probably never be able to sit down again.

The moment they entered British airspace it started to rain.

"Told you so," Zeus shouted over his shoulder, fluffing himself up against the cold.

"It's all right for you," yelled William. "At least you've got feathers."

Zeus was unmoved by William's plight. "You've only got yourself to blame. It was your idea to come to this soggy isle."

William was now wet as well as cold and was beginning to wonder if his Big Idea was really as good as it had seemed in the sunlight of Greece. In the freezing drizzle of the English Channel he felt that he might have got it all horribly wrong.

It was dark by the time they eventually arrived at William's house and Pegasus glided down into the tiny back garden.

Despite a neat landing, Pegasus still ended up with one hoof in Kate's tulips, two in the compost heap and another in the dustbin. It was just as well that Mrs Backwell next door had her telly on so loud. It masked the sound of Pegasus's indignant snorts as he shook his hoof free of the bin. William groped around in the dark until he found the spare back door key, which his mum kept concealed inside a bamboo wind chime, and then let them all in.

William didn't put the lights on – he knew Mrs Backwell would be round like a shot if she thought someone was in her neighbour's house – but there was enough of an orange glow from the streetlamp outside for them to see their way around. Pegasus made straight for the sofa and lowered his rump gratefully onto the cushions. Zeus made himself comfortable in an armchair. William climbed the stairs in the dark, peeled off his wet clothes and collapsed onto his bed, falling into a deep sleep before his head had even hit the pillow.

At dawn on Sunday morning William's duvet was pulled from him.

Fantastic dream, he thought sleepily. I was going to be a hero.

He rolled over and tried to force his way back to sleep.

But something tweaked his nose. William opened his eyes and looked straight into the bright blue eyes of an overweight swan.

He jerked backwards in surprise. "Wattoowant?"

"Come on, come on," snapped Zeus. "There's no time to waste. We must do what is necessary and get back to Greece. We're running out of time."

William looked at his watch. It was seven o'clock. "Whittles won't be open for hours," he said grumpily, pulling the duvet back over him.

Zeus climbed onto the bed and sat heavily on

William's chest. "Come, now," he said sternly. "There is much to be done. You must at least tell me how you intend to scare the Gorgons."

"OK, OK."

Zeus plopped down onto the floor, and William crawled reluctantly from the nest of his bed.

"I'm going to have a shower first, though." He locked himself in the bathroom.

Showered, dry and dressed in clean clothes, William found a loaf of bread in the freezer. He toasted slices and fed them to Pegasus and Zeus while he talked.

"I reckon we can dazzle the Gorgons. Blind them for a bit. I think they're scared of light, see? And even if they're not scared, they certainly won't be used to it if they've spent all that time underground. If we're really quick we should be able to confuse them for long enough so I can get to the knot and tighten it up. I'm pretty good at sprinting. We can do a sort of diversion with lights," he finished. "Lights and mirrors. It should work, shouldn't it?"

Zeus nodded thoughtfully. "It may well do," he said. "Ingenious. Very clever. An idea worthy of Odysseus." William glowed with pride, but then Zeus spoilt it by adding, "Of course, the chances of you getting out alive are minimal, but it should give you time to tighten the knot, and I suppose that's the most important thing..."

"You think I might get killed?" William's voice was very small and frightened.

"It's more than possible," said Zeus vaguely. "I'm afraid a hero's task is always fraught with danger." He cleared his throat and said loudly, "But if you succeed, you will save the world, William. It will be worth it, won't it?"

"I suppose so," whispered William.

"And if I can see a way of getting you out of there in one piece, I shall certainly do so," Zeus promised.

William didn't feel very reassured. More or less certain death seemed a very bleak prospect at the age of ten. But then he realized that he was going to die anyway if the knot came untied. He could do nothing and be blasted into space with the rest of the earth's population, or he could die trying to save the world. He filled the sink with water for Pegasus to drink, and started to munch toast himself. On the whole, he didn't seem to have much choice. He just had to get on with it.

William hadn't eaten all day yesterday and now he was absolutely ravenous. When he was halfway through his seventh slice of buttered toast, there was a knock on the front door and Mrs Backwell shouted, "Is that you in there, Kate? Is everything all right?"

"Oh, no!" hissed William. If he didn't answer, she'd call the police and report a break-in. If he did, how was he going to explain that he had popped back from Greece in the middle of his holiday for a spot of shopping? "We'd better get out of here quick!" he whispered, tiptoeing into the front room and grabbing his mum's store card from the mantelpiece.

He took one last look at the lounge. Zeus and Pegasus might be mythical animals, but there was nothing at all mythical about the large amounts of poop both had deposited all over the furniture. Still, he couldn't do anything about it now. The banging on the front door was getting louder.

"What's going on in there?" Mrs Backwell shouted through the letterbox. "I'll call the police!"

In the back garden, William stood on the edge of his mum's tulip barrel and climbed onto Pegasus, pulling Zeus up behind him. Pegasus stretched his mighty wings and executed a neat vertical take-off. Within seconds they were flying over the rooftops of Brighton towards the shopping centre.

THE BREAK-IN

Two minutes later Pegasus landed on the roof terrace of Whittles Department Store. It was too early for the shop to open, but William reasoned that when it did, he could slip through the glass doors to get what he needed. Pegasus and Zeus could hide behind the potted plants on the terrace until he returned, and then they could fly quietly away without anyone noticing. That was the plan, anyway.

The minutes ticked slowly by. On a Sunday, Whittles didn't open until 10 a.m., and the wait seemed endless.

At 9.45 a.m., William peered over the edge of the terrace, expecting the car park to be filling up with keen early morning shoppers. It was completely empty. William frowned and checked his watch – it seemed to be working. So why wasn't anyone arriving? He crossed the terrace and peered in through the doors. A large clock confirmed the time: 9.50 a.m. William was dimly aware that the staff had to arrive early to get everything ready before the shop opened: set up tills, sort out displays, that sort of thing. So why was the place deserted? William couldn't see a single person. What's going on? he thought.

Then, with a horrible sinking feeling as his stomach slid into his trainers, he realized it was Easter Sunday. Whittles was closed on Easter Sunday. Worse. *Everything* was closed on Easter Sunday.

He had flown all the way to England to buy stuff at a shop that wasn't even open. The world was going to end tomorrow and he couldn't get what he needed. Some hero he was turning out to be.

William banged his head against the glass, fighting tears of fury and frustration.

Zeus hopped down from his hiding place and waddled across to William.

"What is happening?" he asked.

"Nothing," said William despairingly. "That's the

problem. It's Easter Sunday. I forgot. Everything's shut."

Zeus muttered something about "newfangled festivals" under his breath and then said crisply, "Shut, eh? Well, that's easily remedied." He pulled himself up to his full height and stretched his wings. There was a loud squawk followed by a deafening crack, and a lightning bolt hit the glass doors, blowing them to smithereens.

William's jaw dropped: his Big Idea hadn't involved breaking and entering.

Pegasus remained concealed behind a large potted palm tree, but Zeus was already picking his way through the shattered glass and going into the building, calling, "Come on, come on. Hurry up," over his shoulder.

William followed, wondering if lightning set off burglar alarms. Oh well, he thought, sprinting towards the escalators. I *am* trying to save the world. It's all in a good cause. "We'd better be quick," he said.

Whittles was open-plan. There was a balcony that ran around the top floor, and if you looked over the edge you could see escalators connecting all four storeys through the centre of the store. Kate usually complained that it gave her vertigo. It gave William the shivers, looking down into the darkened building that was only illuminated by minimal security lighting.

But he didn't have time to feel nervous. "We'll start at the bottom," said William, "and work our way back up." He leapt down the motionless escalators two steps at a time. Zeus took a running jump off the balcony rail and glided ahead of him down to the ground floor.

First stop was the Sports Department. William grabbed the largest rucksack he could find and then located a shelf of survival blankets. The packets were small, about five centimetres square, but he knew that each unfolded into a reflective, silvery blanket large enough to drape around a person's shoulders. William had seen people on the telly being wrapped in them after running the London marathon. He dropped fistfuls of them into the front pockets of the rucksack.

In Small Electricals, he selected the biggest, brightest torch he could find, as well as several smaller ones for Zeus. He swept a vast selection of batteries into the rucksack. Then he said, "Fairy lights ... I wonder if they'll have any left from Christmas?"

He found them in Sale Goods and stuffed string after string into the bulging rucksack: multicoloured lights, plain lights, flashing lights, penguin-shaped lights – even lights that played "Rudolph the Red-Nosed Reindeer" in an irritating, tinny whine.

"Sellotape..." gasped William. He always found

shopping exhausting, and this raid was beginning to wear him out. "We'll need loads of it."

William and Zeus clambered up the escalator to the first-floor Stationery Department where they found a large supply of Sellotape. The rucksack was overflowing by this time. William stuffed a couple of rolls into the pockets, but then Zeus said, "Here, let me," and started flipping them over his head. When Zeus's neck started to resemble an extended concertina, William announced they had enough tape.

"Right," he said. "Mirrors are the last thing. One each. We need the biggest ones we can carry."

They staggered up another escalator to Bathroom Fixtures and Fittings on the second floor. There, Zeus found himself a large, oval mirror with an ornate brass frame. William slid it carefully into the main section of the bag, along with a pair of extendable shaving mirrors, hoping they would be well padded by the fairy lights. After heaving the rucksack onto his back, he selected a full-length pine mirror for himself and tucked it under his arm.

"We're ready," he said at last. "We can get back now."

At that precise moment, all the lights in Whittles snapped on in a blinding flash, and a voice behind William said firmly, "Hold it right there, sonny. You're not going anywhere."

It felt as if someone had poured a bucket of ice cubes over him. Reflected in his mirror, William could see a dozen police officers. They didn't look happy.

"Turn around slowly."

William did as he was told. He found himself looking into the face of an extremely burly officer. The expression in the man's eyes informed William that being called out on Easter Sunday was a hanging offence as far as he was concerned.

"Well, laddie," he said between gritted teeth, "care to tell me what you're up to?"

William suspected that an explanation involving Cosmic Grade Twine and the world's bellybutton wasn't going to help the situation. He cast around in vain for a plausible lie.

There was a long, weighty pause, during which one of the police officers said into his radio, "We've apprehended the intruders, sir. Two of them. A young lad and … er … a swan."

"A *swan*? Are you seriously telling me that you're arresting *poultry*?" crackled a sarcastic voice at the other end.

"It appears to be involved, sir," the officer replied huffily. "It's carrying several rolls of Sellotape."

The discussion was cut short.

Zeus knew nothing about the British police: all he saw was a group of people in silly hats who were blocking his way. The swan stretched his wings and emitted an ear-piercing squawk.

Two things happened at once: a bolt of lightning tore through the store, ripping a hole in the wall and causing a fire to break out in Bathroom Fixtures and Fittings, while Pegasus answered Zeus's summons, galloping through the glass doors, taking a flying leap over the balcony and swooping down gracefully to rescue William and Zeus.

While the officers were attempting to extinguish the fire that had taken hold in the display of toilet seats, William threw Zeus onto Pegasus, stuffed his own full-length pine mirror between the horse's wings and then, in a heroic fashion he had never imagined possible, vaulted – rucksack and all – onto Pegasus's back.

The instant that William's still aching bottom was settled, Pegasus thundered towards the hole that Zeus had blasted in the wall and, with a mighty bound, they soared through to freedom.

"To Delphi!" ordered Zeus. "To the omphalos!"

They had reckoned without the helicopter. Pegasus had just about reached the English Channel when William heard a thudding whirr. He looked between the horse's ears and saw a police helicopter approaching them with alarming speed.

"Oh no!" William's eyes widened. He caught a split-second glimpse of two astonished faces in the cockpit before Pegasus dived to avoid a crash. The horse swooped under the chopper's belly and then veered sharply to the left as the weight of the Sellotape around Zeus's neck unbalanced them. William seized Zeus's tail and held on. Pegasus righted himself, but the helicopter gave chase.

Pegasus was flying fast, but the helicopter was faster. It flew over them and then dropped down, blocking their way. This time Pegasus gave a powerful flap and shot vertically upwards. William and Zeus, who had nothing to cling to but each other, slid down the horse's back, over his hindquarters and into thin air.

With a swift grab, William once again found himself dangling by one hand from Pegasus's tail, with his face uncomfortably close to the horse's bottom, and his other hand clutching the mirror. Zeus was clinging to William's trouser leg with his beak. As Pegasus swerved again to avoid the helicopter, William and Zeus were flung outwards in a wide circle, missing the rotor blades by millimetres.

Next time the helicopter blocked his path, Pegasus dived. William curved into the air in an elegant arc and then crashed down onto the horse's neck, grazing his nose on the rough mane. He managed to struggle more or less upright when Zeus – who had let go of his trousers and was in free fall – crashed into his back, and William banged his nose once more. Pegasus was plummeting towards the cold grey water of the Channel. The helicopter thudded menacingly above them.

"We have to get rid of it," yelled Zeus. "One thunderbolt should do the trick…"

William turned his head to see Zeus stretching his wings and pulling back his head.

"NO!" he shouted. "You can't blast it, you'll kill them."

Zeus squawked angrily, "They shouldn't be chasing us. They probably want to feed me to the Queen."

"No they don't," bellowed William. "It's because we broke into the shop. What are we going to do? Can't you squirt us with Lethe water again?"

"None left," screeched Zeus. "Suppose we go back to the shore. Could we hide?"

"No!" William shook his head. He'd seen enough real-life cop shows on TV to know all about the heat-seeking cameras they used to find criminals. He racked his brains frantically. The only thing he knew about helicopters was that they couldn't fly in bad weather.

"Storms!" he shouted at Zeus. "It won't fly in a storm."

Pegasus pulled himself out of the dive as his hooves skimmed the surface of the water. A roll of Sellotape flew off Zeus's neck and dropped into the English Channel.

"Storms?" A great laugh burst from Zeus. "Why didn't you say so? That's easy."

Pegasus's hooves were beating against the sea as if he was attempting to gallop over it. The helicopter was above them, forcing the horse down into the icy grey water. He was ankle-deep. Knee-deep. Pegasus snorted in distress.

Zeus threw back his head and screeched.

From every direction towering thunderclouds rolled across the sky. Black and menacing, they obliterated the spring sunshine in a matter of seconds. Thunderclaps rent the air; lightning ripped the sky apart. Rain fell in sheets, and the wind howled.

Pegasus was at the epicentre of the freak storm, and William was drenched instantly. The rain even seemed to penetrate Zeus's feathers as Pegasus's back streamed with water.

But the helicopter had gone, forced to make an emergency landing in a park on the outskirts of Brighton.

Zeus kept the storm going, just in case. They were followed by howling wind and lashing rain all the way to Greece. Out of consideration for William's health, Zeus ensured that the rain was warm. It was like spending several hours fully clothed in the shower.

It was dark by the time they reached Delphi.

Pegasus landed near a ruined temple, in an olive grove halfway up a mountain. Soggy, tired and with a horrendously sore bottom, William peeled off his sodden clothes, hung them on an olive branch to dry and then wrapped himself in a survival blanket. He fell into a troubled sleep on the hard, dusty ground.

A couple of hours later his eyes sprang open as the rosy fingers of dawn touched the sky with pink. But it wasn't the glorious sunrise that had woken him. It was a rumble and a movement from the earth itself. It was Monday morning.

The knot was slipping.

THE OMPHALOS

Leaves were rustling as though a steady breeze was blowing through the olive grove, but there wasn't a breath of wind: the earth was pulsating, shaking the trees as if they were a row of baby's rattles.

Without a word, Zeus led the way to the terraced mountainside where the ruins of an ancient temple had started to vibrate. William pulled on his damp clothes, picked up the heavy rucksack and the pine mirror (miraculously still intact), and followed.

Zeus was searching the temple's stone floor, head down, tail up, as if he were looking for a dropped Smartie. William watched, puzzled.

At last Zeus said, with grim satisfaction, "Here it is." He waved a wing towards a small pebble, about the same size and shape as William's belly-button. It wasn't so much stirring as rattling, like a badly fitted lid on a saucepan of boiling water.

William stared at it, faintly disappointed. "It's not very big," he said.

"No," said Zeus. "There was a bigger one that some sculptor made a few millennia ago. It's in a museum now, I believe. But this one's my original – the one that marks the location of the knot. The entrance to the cavern lies beneath here."

Pegasus sniffed the air, gave an anxious whinny, then turned tail and fled down the mountain.

"Clever horse," said Zeus. "Senses danger."

William could understand Pegasus's fear. His own insides were churning: the flock of hobnail-booted butterflies trampolining off his stomach walls had doubled in size. And someone seemed to have removed the bones from his legs and filled them with jelly. His heart was pounding so loudly that he thought Zeus must be able to hear it, and it wasn't the early morning heat that had made the sweat bead on his upper lip. He was also aching in all sorts of strange places from riding Pegasus: he hadn't realized before that he *had* bones in his bottom, let alone that they could hurt so much. He now knew exactly why cowboys walked the way they did.

But he had a job to do.

Back in the olive grove William pulled a survival blanket out of its packet and wrapped it around one of his legs. Taking the first roll of Sellotape from the pile, William wound the blanket round his ankle, then up his calf towards his thigh. When his left leg was finished, he started on his right. Wrapping his arms was more tricky: he managed the left one fairly easily, but the right was more complicated because he needed to work left-handed. In the end, he had to use Zeus as a Sellotape dispenser, popping a reel over the swan's head and unwinding it straight from Zeus's neck onto his arm. They used the same system to encase his torso in another blanket, William twirling round like a ballerina as the Sellotape fixed everything tightly together.

He draped a sixth blanket around his neck and shoulders, like a superhero's cape, and tied a final one around his head in a bizarre turban. It was unbearably hot, and a sheen of sweat made the inside of the silver suit horribly slippery.

Next, he took out several strings of fairy lights, pushed batteries into their control boxes, and then wound them round his waist and chest and up and down each limb. He wrapped the penguin-shaped ones round his silvery turban before taping the control switches in a line round his

waist. He stuck the extending shaving mirrors to the tops of his arms, adjusting them like the wing mirrors on a car. Finally, he taped the biggest torch to the top of his head, winding the reel round his chin until it felt secure. It was heavy and uncomfortable, and sweat had started to pool in the folds of the blankets, but that was the least of William's worries: the ground gave a sudden shake, and one of the temple's ancient pillars toppled and rolled down the mountainside.

"We need to hurry," urged Zeus.

"OK, OK, I'm doing my best," protested William.

It was Zeus's turn to be dressed. William encased the swan's long neck in a survival blanket, taping it at regular intervals until it looked like a string of silver sausages. Then he covered each of Zeus's wings separately. It was worse than trying to wrap an oddly shaped Christmas present, and William kept sticking his fingers together.

"Ow!" snapped Zeus, as William ripped a feather out by mistake.

"Youch!" grumbled William, as the swan pecked him in protest. He wrapped a blanket around the large, feathery torso, complaining, "You're such an awkward shape."

"I wasn't rude about your shape," tutted Zeus. "All gangly legs and weedy chest. You're not exactly a Greek god yourself, you know."

"Thanks very much," said William huffily.

Zeus relented. "Sorry," he said, "it's the heat. Even gods get grumpy. We're only human."

William looked at him.

"Well, all right … we're not *human* … but you know what I mean. It's an expression. Why do you have to be so *literal*?"

"That's exactly what my art teacher said." A wave of fear swept through William: suppose his teachers were right about him. Suppose his Big Idea didn't work? William pushed the thought to the back of his mind. He had to get on with it, or the whole world was doomed.

He finished wrapping up Zeus, winding several strings of fairy lights around him, including the tinkly, musical Rudolph ones.

"Do I really have to wear these?" asked Zeus.

"Yes," insisted William. "We'll need all the light we can get." He taped a small torch to the bird's head and two more to the tips of his wings.

William held the rucksack upside down and gave it a final shake to check there were no more lights. A small mirrorball rolled out. William shrugged, picked it up by its string and looped it over his ear.

They picked up their mirrors. Zeus clasped the ornate brass one in his beak. William held the large pine one in front of him like a shield. Fear settled like a lead weight in the pit of his stomach. "Right," he said woodenly. "We're ready."

They stood side by side: William looked like a badly dressed astronaut; Zeus resembled an oven-ready Christmas turkey.

They advanced towards the omphalos, boy and swan together: heroes trussed in foil.

When they reached the edge of the temple floor, they stopped.

"What do we do now?" asked William. "How do we get down there?"

As if in reply, the ground in front of them suddenly gave way. The floor of the temple, omphalos and all, simply disappeared, leaving a massive, gaping hole in the earth just beyond William's toes.

When the dust had settled, William peered down nervously. Rough-hewn steps led into the darkness, curving round in a descending spiral. Zeus and William exchanged a silent glance. They drew in a last breath of the warm, olive-scented air, took a final, lingering look at the sunlight on the mountains and entered the cave of the Gorgons.

It was really scary: icy cold and bone dry. The walls sucked warmth from William so that he shivered with cold as well as terror. The sunlight from the surface lit the way to start with, and William tensed with terror several times as large figures loomed out at him from the darkness before he realized he was looking at his own shadow. But soon, he didn't have to worry about that any more: it became pitch-black, and he groped his way down by touch alone. He didn't want to switch his torch on yet – that would ruin the all-important element of surprise.

William reached the bottom of the stairs and waited for Zeus. The sky above was now nothing more than a tiny blue disc. It was like standing at the bottom of a very deep well.

Zeus was having difficulty waddling down the steep steps, impeded by the fairy lights and the survival blankets and the mirror in his beak. He tripped over the ornate frame and tumbled down the last few, landing on William with a soft, crackly thud.

"Is this it?" whispered William, hoping they might have to go through some long tunnels – anything to delay meeting the Gorgons.

"Indeed it is," answered Zeus. "Welcome to the cave of the Gorgons."

It was totally weird, thought William: the "ssss" seemed to be picked up and amplified by the cave's walls. It reverberated and echoed, and instead of dying away, increased in volume. William wondered briefly if it was a strange acoustic effect – something to do with being so deep underground – then realized with a chilly prickle of utter horror that it was coming from the Gorgons themselves.

Snakes. Snakes for hair. Snakes hissing.

Out of the darkness came an icy, carnivorous whisper: "Ssssister ... can you ssssee, ssssister?"

"Yessss... Ssssilly ... sssssimpletonsssss ... sssstraying into our lair."

"Are you hungry, ssssister?"

"Oh, sssssister. I'm sssstarving!"

"Ssssucculent and sssssweet."

In the darkness, William shot Zeus the filthiest of filthy looks. "They eat people?" he gasped. "You never told me that! I thought they just turned them to stone!"

"Ah," said Zeus apologetically. "Yes, well, I may have neglected to mention that little detail..."

"Little detail?" exploded William. "I'm going to end up as breakfast for some monster and you call that a little detail?!"

"Two things," said Zeus crisply. "If we don't succeed now the entire world is going to blow apart in a matter of minutes and you'll be dead in any case. Secondly, remember what Odysseus said – despair is the enemy, William."

They didn't have time to argue any more. The Gorgons had started lumbering towards them.

What Odysseus had said was true. They were heavy and cumbersome. William could hear their hefty feet stomping, dragging slowly across the cave. There was a long gap between steps, but on the other hand, each step seemed to cover a very large distance.

"Turn your back," ordered Zeus. "Whatever you do, don't look at them."

It seemed like unnecessary advice – William couldn't see a thing, but he had already spun round and was adjusting his shaving mirrors. He could hear the monsters getting closer. Strangely, they were giving each other the same advice.

"Don't sssstare … sssssister."

"No, mussstn't look them in the face."

"Why can't they look at *us*?" William asked.

"Don't want to turn us to stone," answered Zeus flatly. "Not very appetizing, you see. Breaks their teeth."

"You take the sssswan, sssssister, I'll take the boy." The voices were much closer now. William guessed that the Gorgons were within striking distance. He felt a rush of air as they reared up on their hind legs.

"LIGHTS!" shouted William.

He hit the switches on his fairy lights.
Zeus did the same. They lit up like Christmas
trees – each fairy light infinitely reflected in
the silver survival blankets. The tinny sound
of "Rudolph the Red-Nosed Reindeer" tinkled,
pitifully small and insignificant in the vast cave.

William switched on their head torches. In the
utter blackness the effect was blinding. The
Gorgons recoiled in horror, turning, covering their
eyes, taking huge, staggering steps backwards
across the cave until they were cowering
against the far wall.

"Sssscared!!"

William saw them in his
mirrors for the first time.
They were enormous –
about the size and shape of
a tyrannosaurus rex from the
waist down, but with huge
human torsos. Their heads

126

were the size of a small car. Dozens of serpents writhed upon their scalps, hissing furiously and baring fangs as long as William's fingers.

The odd thing was that the Gorgons had turned their faces away from each other. A question flickered through William's mind: he thought they'd turn towards each other, to cling to each other for support the way you'd expect sisters to if they'd had a shock. But the Gorgons hadn't. They'd instinctively turned away. Why?

The answer exploded in William's head. He had an idea – one that might eventually get him out of there alive.

"Change of plan!" he yelled, wrenching Zeus's mirror from his beak and sprinting to the middle of the cave. William's original plan had simply been to dazzle the Gorgons, to confuse them with reflected light, but now he'd thought of a better use for the mirrors. He laid them both down on the floor, about ten metres apart. With a desperate wish that no one would step on them, William sprinted back to Zeus.

The Gorgons were advancing once more. The floor shook with the impact of their feet thudding across the cave.

"Sssstarving!"

"Ssssucculent…"

"We need to separate them. Got to get them back to back!" William whispered frantically. "Help me get them into the middle of the cave. When I tell you, pick up your mirror."

"But—" began Zeus.

"No time," squeaked William. "Just do it. Trust me."

The Gorgons were almost upon them.

Zeus nodded. "I do trust you," he said. "Rarely have I had such faith in a mortal."

As the Gorgons reared up on their hind legs once again, Zeus strolled in front of them, gave his tail an appetizing flick, and said, "Well, ladies, here's breakfast. Yum, yum. Foil-wrapped and ready to barbecue." Then he turned and waddled as quickly as his short legs would allow across the floor towards the middle of the cave. The hungry Gorgons followed.

The monstrous creatures were slow and cumbersome, but then Zeus wasn't exactly agile. A swan on dry land was an easy target. He hadn't got far when one of the Gorgons reached down, took hold of his balding tail in her filthy talons and lifted him high in the air.

William took a deep breath and jumped hard on the Gorgon's lizardlike tail. With a scream – more of indignation than of pain – she dropped Zeus and turned round to find William.

Zeus landed on the foot of the second Gorgon. There he stayed – out of her sight, but not out of hearing. He tormented her with cries of "Breakfast! Come and get your breakfast!", and she stumbled blindly in a hungry daze across the cave.

The Gorgons were now back to back, but too far apart. William needed to edge his one backwards.

He started to run. Keeping his eyes down, using his wing mirrors to see what was happening above him, he started to weave from one side of his Gorgon to the other. Each time he ran just out of her line of vision, and she took a step back to see him. But William was too fast for her: no sooner had she taken a step to the left than he sprinted to her right. A step back with her right leg and he was gone again, out of reach.

To the disorientated, lumbering monster, it seemed as if there were a dozen Williams. A dozen Williams piercing the air with the whirling slivers of light from his mirrorball earring; a dozen Williams shattering the darkness. Every time she moved her head, it seemed another boy disappeared from view. William ran, and ducked and dived just beyond her reach, just out of her vision. With each pass he moved her back a little, and slowly, step by step, he edged her into the middle of the cave until she was back to back with her sister.

His long pine mirror lay on the floor. At last he was near enough to pick it up.

"Ready?" he shouted to Zeus.

A muffled "Yes!" was the reply as Zeus flopped off the scaly foot and landed beside his oval mirror.

"NOW!" bellowed William. He picked up his mirror, held it in front of him, shut his eyes tight and turned to face the Gorgon.

When the enraged and confused Gorgons saw their own reflections they thought they were looking at each other. Screaming in horror, each one turned away from its mirror image. As they swung around – in agonizingly slow motion, it seemed to William – they looked at each other full in the face. Ear-splitting, blood-chilling shrieks rent the cave. And were cut short.

They froze.

There was a moment of complete silence. And then the crackle of a survival blanket as William started to breathe again, drawing in desperate, gasping lungfuls of air.

He turned his back on them and examined the scene in his wing mirrors. He edged backwards towards them – just in case. He tapped an enormous foot. It was cold. It was solid. It was stone.

He'd been right. His idea had worked. He, William Popidopolis – who had a stupid surname and was lacking in the ideas department – had defeated two Gorgons. Why don't they want to

look at each other? he had wondered. His guess had been correct: if they met each other's eyes they would be turned to stone.

A wave of relief washed over him. He punched the air triumphantly. An insanely wide grin split his face. He walked round the Gorgon statues to find Zeus.

The swan was still standing in front of the second Gorgon, holding his oval mirror. He was perfectly still. And then William realized that the cave shouldn't have been quite so quiet: the tinny tinkling of "Rudolph the Red-Nosed Reindeer" had been silenced.

William's heart sank.

He looked at the ornate oval mirror and saw a tiny hole where a small splinter of glass was missing. When the Gorgon had seen her reflection, Zeus had looked into her eyes.

Zeus, the king of the gods, had been turned to stone.

THE KNOT

If William had been younger, he would have burst into tears. If he had been a Greek hero, he would have squared his shoulders and gone out for a pint of ouzo. As he was a ten-year-old boy trying hard to be brave, he sat down next to the stone swan, put his hand on a webbed foot and fought the lump in his throat that was threatening to choke him.

He'd had a good idea: one that meant he'd live. But it had killed his friend. A single tear rolled down William's cheek and plopped onto the floor of the cave.

Then the earth beneath him trembled and heaved.

Oh no! thought William. The knot! How am I going to find it without Zeus? Think, he told himself. What did Zeus say? We can't get to it without going past the Gorgons. Well ... there are the Gorgons. So where's the knot?

He flashed his torch around the cave. He couldn't see anything, so he raced around the edge, looking for a path, a hole, a tunnel that might lead to the knot of string that held the earth together.

The ground was shaking so much now that rocks were falling from the roof of the cave. William pressed himself against the wall and watched in horror as a crack opened in the cave floor, splitting it in two right between his feet. And then he realized that the crack ran straight into a small tunnel.

He sprinted across the cave. The tunnel was barely big enough for him to squeeze through, impeded as he was by the survival blankets and shaving mirrors. But there was no time to take them off. He lay on his stomach and wriggled and pushed, hoping desperately that he was in the right place. He didn't fancy dying down here, not before he'd had a chance to save the world. He edged forward slowly, the entire passage rumbling and heaving as the earthquake gathered pace.

The tunnel opened into a small chamber, just tall

enough for William to stand in. There was nothing there. No sign of any Cosmic Grade Twine. Tears of frustration pricked the back of his eyes, but then – as clearly as if Odysseus had been standing beside him – he heard a voice saying, "Do not despair, William. Despair is the enemy."

I *must* be in the right place, William told himself. There *weren't* any other tunnels. It's got to be here. Maybe it's like the omphalos – something small, insignificant. He started to grub around on the floor.

Then he saw it. He had expected Cosmic Grade Twine to be as thick as rope – to be gleaming silver or gold. But what he saw was a grubby length of stained string, no thicker than the stuff his mum kept in the kitchen drawer. It was tied in a simple granny knot, and it was very nearly undone.

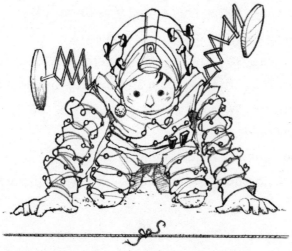

The earth heaved. The knot slipped and came apart!

William dived. He grabbed the two ends.

The immense weight of the whole world strained against the twine. William was suddenly yanked down hard on the cave floor, flat on his face, his arms wrenched apart. The pressure of molten rock that threatened the planet with explosion was trying to rip William in two. The string cut into his hands, but William wouldn't let go. The problem was, he couldn't pull the ends together either. Sweat trickled down his face. The air was forced from his chest as he was pulled harder and harder against the cave floor. And now the twine started to slip through his fingers.

"No!" he groaned in an agonized whisper. To have come so far only to fail was unbearable. "Oh, help! Give me strength!"

Voices – so faint that they seemed to be calling down from the top of a mountain – urged him, "Come on, William! Don't give up! You can do it!"

He could.

Cool, grim determination flooded William's mind and energized his body. He gritted his teeth.

With an almighty, superhuman effort, he dredged up every scrap of strength he had and pulled. Centimetre by centimetre his hands scraped across the cave towards each other. When they were either side of his head, he prised his chest away from the floor until he was propped on his elbows. He tugged – his entire frame shaking with exertion – until the ends met.

William tied a knot.

It was as if the earthquake had been switched off. Instantly, the ground stopped moving.

He collapsed with a huge sigh and lay still for a moment before tying another knot on top of the first. Then another. And another. He kept tying knots until he had used all the string. Then he peeled off every single strand of Sellotape from his body and stuck them over the knots for added strength.

"That should last for a bit," he said, patting the knot. He peeled off his foil and the fairy lights and shaving mirrors, leaving them piled on the floor of the chamber. He put his mirrorball earring carefully on top. Feeling utterly drained, William took his torch in one hand and crawled back through the tunnel to the Gorgons' cave.

"I did it," he said to the stone swan, hoping that somehow Zeus could hear him.

A faint noise came from above. William looked around in alarm. It was at the top of the stairs. Someone – or something – was coming down into the cave.

There was a swish of wings, a clip-clopping of hooves and Pegasus trotted across to William. He was so white that he almost glowed, even in the gloom of the cave.

Pegasus sniffed the statue and gave a heavy snort. He shook his mane in disgust.

"Sorry," said William apologetically. "It wasn't meant to happen. His mirror was cracked... What are you doing?"

Pegasus had turned his back on Zeus. He looked at the swan, lowering his head so that he could see between his front legs. Then he bucked – taking all his weight on his front legs and lifting his hind legs high in the air. As they came down, Pegasus kicked the stone bird with all his mythical might.

A crack ran the length of the swan, from beak to tail.

"You've broken him!" gasped William sorrowfully. "Why did you do that?"

Pegasus whinnied cheerfully.

To his surprise, William saw something stirring inside the statue. Zeus was alive! William was flooded with relief – everything was going to be all right! Then he felt a sudden flicker of concern. He hoped it wasn't going to be what his mum called a "Beauty and the Beast" moment, when the Beast transforms into a handsome man at the end, and everyone's actually really disappointed because they had all got to like him as a beast.

Zeus shook himself free. Overweight, bald as a freshly plucked chicken, and still, reassuringly, a swan.

"How did you manage that?" asked William.

"Just a little partial petrification, that's all," said Zeus. "Just got me in the one eye." He looked at the pile of rubble he'd emerged from. "It looks like only my outer layer was petrified, doesn't it?" Zeus surveyed his pink, pimpled flesh. "I dare say

my feathers will grow back eventually."

William looked nervously at the Gorgons. "Are they...?"

"Oh, yes. Solid as a rock," said Zeus, nodding. "Blasted each other full in the face. They're still conscious, mind you. Immortal, you see. But they'll be like that until the end of time, I assure you." He looked at William, and said simply, "Well done."

William was bursting with pride. But before they climbed back up to the sunlight, he said, "Do you reckon anyone else might find the knot? I mean, people will come down here, won't they, now the cave's been opened up by the earthquake. We don't want anyone untying it…"

"Good thinking," said Zeus. He directed the smallest thunderbolt he could manage into the tunnel that led to the Cosmic Grade Twine. "That should do it," he muttered as the tunnel roof collapsed, concealing the knot – as well as the pile of mirrors, foil and fairy lights – from nosy tourists.

They climbed back up to the sunlight and warm spring air, with William Popidopolis, son-of-Odysseus-the-hero, leading the way.

Somehow – William never knew quite how – Zeus summoned a picnic for them in the olive grove.

It was the strangest food that William had ever seen: a weird, silvery gold – neither liquid nor solid – which smelt divine.

"What is that stuff?" asked William, breathing in the delicious aroma. He took the bowl Zeus pushed towards him and leant back against an olive tree to enjoy it. It was heavenly.

"Ambrosia," answered Zeus. "Food of the gods.

You're the first mortal ever to taste it. Consider yourself blessed."

William did.

"You were extraordinary back there," said Zeus. "You know I wasn't entirely certain that you'd have the strength to tie the knot, but you seem to have managed."

"It was really odd," said William. "I didn't think I could. And then I heard these voices urging me on. What happened?"

Zeus nodded. He didn't seem surprised. "Delphi is connected to Mount Olympus," he explained. "The temple is like a divine telephone line. What you heard were the many gods of Mount Olympus cheering you on. All of them united for once. Most unusual."

"Wow!" said William. The thought was a little overpowering, so he turned his attention towards his food.

William ate and ate, and as his stomach filled, all the aches and pains and bangs and scrapes that he'd sustained over the last few days simply melted away. Even the pain in his buttocks vanished, and the bones in his bottom forgot they existed. The bowl kept refilling, and after a very long time when William had eventually had enough, it disappeared.

"William Popidopolis," said Zeus. "The time has come to return you to your mother."

Delphi was on the mainland, a couple of hundred kilometres or so from Spitflos. There was no way that Zeus could carry him back – without feathers, he was rendered as flightless as a dodo. William lifted the swan up onto Pegasus, trying not to pinch his plucked, pimply flesh, and settled him between the horse's wings. And then – for the last time – William vaulted up behind him in truly heroic style. Pegasus stretched his enormous wings, gave a single beat, and they soared into the air.

The return journey was short in comparison with their epic flight to England and back. It seemed only a few minutes before the emerald green of Spitflos appeared in the turquoise sea below them. Pegasus stopped flapping, and glided towards the little white town that spilled down the mountainside like milk from a jug. He landed neatly on the harbour wall. It was still early morning, and the dusty street was deserted.

William slid down from Pegasus's back and patted the horse fondly on his dazzling white neck.

"Bye, then," he said to Zeus, who sat between Pegasus's wings, his webbed feet thrust before him. "You'd better watch it. You'll get sunburnt without your feathers."

"I shall indeed watch it," agreed Zeus. "I shall follow your good advice in this, as in everything."

"Do you reckon I'll see you again?" William's voice seemed to have gone rather high and tight.

If Zeus could have smiled, he would have done so, but it was difficult with a beak. "I am certain of it." There was a slight pause. And then Zeus said, in a voice that was husky with emotion, "You have proved yourself a hero, William Popidopolis, son-of-Oysseus. A hero in your own right, on your own terms, in your own time. I am glad I sought you out."

William's face had started to ache, and his vision became suddenly blurred. He nodded a quick goodbye and then turned and sprinted away before he started crying in a totally unheroic fashion.

*   *   *

As William walked into the hotel, he passed Kate and Nikos going for breakfast. He waved vaguely to them, and as he climbed the stairs, he heard his mum say, "He seems like a nice boy."

"Maybe we have a son like that one day," answered Nikos, bending to kiss the back of her neck.

Eeuw, thought William as he entered his room. And then he threw himself onto his bed and fell into a deep, deep sleep.

THE END

The Lethe water that Zeus had slipped into Kate and Nikos's ouzo was wearing off. Throughout the day their relationship cooled, and by the time William woke up his parents were just good friends.

They endured a rather stilted evening meal in the taverna, all three sitting at the same table, trying their best to make polite conversation. Nikos seemed a little puzzled by William and Kate's presence on Spitflos, and William couldn't help wondering if Zeus had somehow been behind the invitation – if he *had* influenced Nikos's mind, it would account for the flowery language in the letter. As for Kate, she was baffled by what had been happening.

"I don't get it," she whispered when Nikos made a quick visit to the toilet. "The last few days are a complete blur. I haven't been a total embarrassment, have I?"

"No…" said William, flushing pink.

"I *have*, haven't I?" she sighed. " Oh lord, I don't know what came over me… Just not used to ouzo, I suppose. You've been OK, though, haven't you? You've found plenty of stuff to do?"

"Oh yes," said William. "I've been exploring … you know."

At that point, Nikos came back and sat down.

"So…" he said awkwardly. "How you do at school, eh? You good boy? You work hard?"

"He's doing fine," Kate leapt in defensively. "Aren't you, Will?"

William looked at the ceiling thoughtfully. "No…" he said slowly. "I haven't been." Then, with a flash of sudden, blinding certainty, he added, "But I will now. Things are going to be OK." He beamed at both his parents because he knew it was absolutely true. Things were going to be different.

And with William's glowing smile, Kate and

Nikos relaxed. From that moment on, the little family started enjoying each other's company for the first time.

The remaining ten days of the holiday went by quickly and happily. Spring flowers bloomed on the mountainside, transforming Spitflos into a lush paradise. The sky was a clear blue, and it was hot – but not too hot – in fact, it was all rather like Elysium.

On the last day, Nikos took William and Kate out on his boat and they all swam in the deep, clear water and then spent the afternoon fishing. In the evening, Nikos lit a small fire on the beach, and they barbecued the fresh, silvery fish they had caught.

In the firelight, Nikos pulled William to one side, looked hard at him, and said, "I been bad father. I been terrible. You are fine boy. I very happy you here now, very proud. It is good I know my son at last."

William came over all English and embarrassed, but he was pleased just the same.

*　　　*　　　*

Nikos waved them off on the ferry the following morning with strict instructions that they were to come again next year. William and Kate were happy to agree. William felt quite at home on Spitflos. Kate had been right: he was half Greek and he hadn't needed sunglasses. He had roots on the island – he felt them tugging at him as the boat steamed away. He had started to love it, and in a funny way he felt that the island loved him back – as if it had recognized him and welcomed him home. And it was good to have a surname that was as common on Spitflos as Smith or Brown was in England: it had been wonderful being a hero, but it was also quite nice feeling normal.

William hadn't seen Zeus since they had said goodbye to each other at the harbour, and he was starting to wish he had some sort of souvenir, something to prove to himself that the whole adventure had really happened.

When they got home, his wish was granted.

Mrs Backwell was twitching her lace curtains as the taxi pulled up. As soon as Kate and William got out, she burst forth from her house saying, "Terrible news, Kate. You were broken into while you were away. They've left a terrible mess. You won't believe what they've done to your front room. And Whittles got bombed the same day. It left a huge hole in the wall. The police have been ever so odd about it. Refusing to say anything, they are. I wonder why?"

After they had cleared the horse manure and swan droppings off the furniture, Kate made a cup of tea and sat down to read the newspaper she'd bought at the airport.

"Oh, look," she said, pointing to a short article at the bottom of the page. "This wasn't that far from where we were."

William took the paper and read:

DISCOVERY OF THE CENTURY!

Scholars were astounded last week when an earthquake at Delphi, Greece, opened up a hitherto undiscovered passage beneath an ancient temple, leading to a huge underground cave.

In the centre of the cave they found two colossal statues of Gorgons – the mythical monsters said to be capable of petrifying anyone who looked at them. The superbly carved creations appear to depict the creatures frozen in the act of seeing each other's faces.

Professor Spiros Constanti commented, "The myth to which these statues refer is sadly lost to us. However, it seems that the monsters have been tricked into their mutual destruction. Such cunning is characteristic of the myths surrounding the hero Odysseus. I believe these carvings tell us a previously untold tale of the cleverest and most inventive Greek hero."

William Popidopolis beamed. And, somewhere in the Underworld, where a bald, sunburnt swan had managed to get a copy of the same paper and spread it out on the sweet, soft grass for the assembled heroes to peruse, William's distant ancestor Odysseus glowed with silent pride.

When she was ten years old, Katrina Picket woke Merlin.

It was quite by accident – she'd had no intention of doing any such thing. But it was fortunate for everyone in England that she did. They didn't know, of course. The whole thing had to be hushed up. Most people thought it was a particularly inventive party for the Queen's jubilee. And as for the dragon and the exploding fireball – they were explained away as impressive special effects.

But Katrina, and the Prime Minister, knew different...

"Fast-moving fun." *The Scotsman*

If you've enjoyed reading this book, look out for...

A KATRINA PICKET ADVENTURE

Waking Merlin

TANYA LANDMAN

A KATRINA PICKET ADVENTURE

Merlin's Apprentice

TANYA LANDMAN

Jake Jellicoe and the Dread Pirate Redbeard

Joanna Nadin

the Robe of Skulls

Vivian French

Short novels for fluent readers